Collection
PROFI...
dirigée par

Série
EXPRESSION ÉCRITE ET ORALE

ÉCRIRE
AVEC LOGIQUE
ET CLARTÉ

GILBERTE NIQUET

HATIER

Sommaire

© HATIER, PARIS, 1996   ISBN 2-218 **71422**-1

3. La phrase articulée : unité du paragraphe (Corrigé p. 74)

Introduction

Chacune des épreuves de français du baccalauréat :
- dissertation,
- commentaire composé,
- résumé de texte, et discussion,

demande l'élaboration d'un texte argumenté. Il en va de même des différentes épreuves figurant aux programmes d'examens ou de concours de niveau similaire : B.T.S., concours d'entrée dans l'administration, etc. En effet, chacun de ces écrits doit aboutir à une conclusion qui fasse apparaître nettement la pensée du candidat sur un point précis : aspects majeurs d'un texte, problème posé par un sujet, etc. Or, une conclusion est le résultat **logique** d'une suite d'idées ou de constatations développées au cours d'une réflexion. Si ces idées et observations ne sont pas **clairement** et **logiquement** coordonnées entre elles, elles ne peuvent converger vers une conclusion limpide. L'absence de liaison entre les différentes parties d'un texte affaiblit, en effet, la cohésion de ce dernier, et va même quelquefois jusqu'à lui faire perdre son sens. Le texte devient alors une succession de remarques éparses dont on ne voit pas ce qu'elles veulent démontrer. Avec une coordination judicieuse et évidente des idées, le texte manifeste clairement, au contraire, le mouvement de la pensée : on voit ce que le candidat veut dire, et son texte convainc bien souvent le lecteur.

Il est donc très important de savoir organiser un texte argumenté, de connaître **les techniques** qui aident à y parvenir et de maîtriser **les mots de liaison** dont l'emploi est indispensable pour écrire ce genre de texte.

Ce livre a pour finalité de vous aider à découvrir, puis à bien manier, ces éléments afin de contribuer à vous préparer aux épreuves du baccalauréat ou de tout autre examen de niveau similaire.

Le texte argumenté $\boxed{1}$

ÉLABORER UN TEXTE ARGUMENTÉ

Enchaîner des arguments

Exercice 1

1. Résumez l'idée développée dans chacun des trois paragraphes du texte présenté ci-dessous :

Ex. : Nous devons protéger la nature pour......
Nous devons protéger la nature pour......
Nous devons protéger la nature pour......

2. Relevez le groupe de mots de liaison qui introduit le paragraphe 1.

3. Relevez les termes de liaison qui relient le paragraphe 2 au paragraphe 1.

4. Relevez le mot qui introduit le dernier paragraphe.

5. Relisez le paragraphe 1 et relevez le terme qui marque sa conclusion.

6. Relisez le paragraphe 2 et relevez le terme qui marque la conséquence du fait évoqué : « Tant d'espèces vivantes s'effacent de la faune et de la flore terrestres. »

Multiples sont les motifs
que nous avons de protéger la nature

1. Et d'abord, en défendant la nature, l'homme défend l'homme : il satisfait à l'instinct de conservation de l'espèce. Les innombrables agressions dont il se rend coupable envers le milieu naturel (envers « l'environnement », comme on prend coutume de dire) ne vont pas sans avoir des conséquences funestes pour sa santé et pour l'intégrité de son patrimoine héréditaire. Rappellerons-nous que, du fait de la pollution radioactive causée par les explosions des bombes nucléaires, tous les habitants de la planète, surtout les plus jeunes, portent dans leur squelette des atomes de métal radioactif ? Que, du fait de l'emploi abusif des insecticides, le lait de toutes les mères contient une certaine dose du pernicieux D.D.T.? Protéger la nature. c'est donc. en premier lieu. accomplir une tâche d'hygiène planétaire.

2. Il y a. en outre. le point de vue des biologistes qui. soucieux de la nature pour elle-même. n'admettent pas que tant d'espèces vivantes (irremplaçables objets d'étude) s'effacent de la faune et de la flore terrestres. et qu'ainsi. peu à peu. s'appauvrisse. par la faute de l'homme. le somptueux et fascinant musée que la planète offrait à nos curiosités.

3. Enfin. il y a ceux-là — et ce sont les artistes, les poètes. et donc un peu tout le monde — qui, simples amoureux de la nature. entendent la conserver parce qu'ils y voient un décor vivant et vivifiant, un lien maintenu avec la plénitude originelle. un refuge de paix et de vérité. parce que, dans un monde envahi par la pierraille et la ferraille. ils prennent le parti de l'arbre contre le béton. et ne se résignent pas à voir les printemps devenir silencieux.

Jean Rostand. «Sauvons la nature».
Préface au livre d'Édouard Bonnefous, Sauver l'humain,
Flammarion Éd.

Exercice 2

Le 7 juillet 1982, lors de la Coupe du monde de football, un journaliste adressait à l'équipe de France trois conseils pour battre l'Allemagne. Le journaliste fondait ses conseils sur la victoire de l'Algérie qui venait de battre les Allemands. Il analyse les causes de cette victoire...
1. Dans les parties ①, ② *et* ③ *du texte, le terme de liaison qui introduit chaque cause de la victoire algérienne a été effacé. Essayez de le retrouver, et indiquez le rôle de chacun d'eux.*
2. Résumez chacune de ces parties en une phrase, de façon à présenter clairement les causes qui expliquent la victoire de l'Algérie :
*   Cause 1 : ....*
*   Cause 2 : ....*
*   Cause 3 : ....*

3. *Dans la partie* ① , *relevez la locution qui introduit une comparaison.*

4. *Dans la partie* ③ , *relevez l'adverbe qui attire particulièrement l'attention du lecteur sur deux joueurs allemands.*

**Français,
voici comment les Algériens
ont battu les Allemands**

La victoire algérienne fut la résultante de plusieurs facteurs.

1. Il y eut ----- l'indiscutable complexe de supériorité qui amena les Allemands à prendre la direction des opérations, non sans aveuglement, comme si nécessairement le petit Poucet allait déposer les armes. Cette présomption souda d'autant mieux l'équipe algérienne qui fit alors preuve de courage, de détermination et de fierté.

2. Il y eut ----- la volonté constante des Algériens d'utiliser intelligemment le ballon une fois la conquête de ce dernier opérée. Les Nord-Africains évitèrent le combat athlétique et s'ingénièrent à apporter la contradiction sur le terrain technique. Les Français ne sont pas mal placés pour faire valoir certains arguments dans ce domaine. [...]

3. Il y eut ----- une précaution tactique dont les Français seraient bien inspirés de reprendre les modalités.

Sachant que les arrières allemands, notamment Kaltz et Briegel, sont de redoutables contre-attaquants et de véritables « machines à centrer », les Algériens, qui n'étaient pas exagérément sûrs de leur gardien Cerba et qui de toute manière redoutaient beaucoup les tirs de la tête de Hrubesch, firent en sorte que les centres ne soient pas délivrés ou le soient dans les conditions les moins favorables aux intérêts allemands. [...]

Reprendre leur recette ne garantit pas la victoire mais peut constituer un petit pas dans sa direction.

R.I.
in *France-Soir* du 7 juillet 1982.

Exercice 3

Vous trouverez ci-dessous une brève introduction, puis trois paragraphes et une conclusion. L'ensemble pourrait constituer un texte. Celui-ci aurait pour but d'inciter les automobilistes à la prudence :
1. Après avoir lu attentivement la conclusion, indiquez dans quel ordre vous feriez se succéder les trois paragraphes.
2. Indiquez la raison de votre choix.
3. Placez un terme de liaison au début de chaque paragraphe. (Essayez d'employer des termes différents de ceux qui ont été utilisés dans les exercices 1 et 2.)
4. Dans le paragraphe 1, relevez le terme de liaison qui indique que la 2ᵉ phrase présente la cause du fait qu'énonce la première : « En incitant à la prudence, on défend l'homme contre lui-même. »

Multiples sont nos raisons d'inciter les automobilistes à la prudence.

1. ... en incitant à la prudence, on défend l'homme contre lui-même. Combien de vies humaines, en effet, sont stupidement et lamentablement perdues chaque jour sur les routes ? Celles-ci tuent plus que le cancer, et autant que les maladies cardio-vasculaires.

2. ... en incitant à la prudence, on défend le bien commun. Les accidents de la route coûtent cher à la société. En frais d'hospitalisation et de prothèses, en indemnités de toutes sortes, ils absorbent un pourcentage très important du budget de la sécurité sociale. Or celle-ci est le bien commun ; elle est faite des cotisations de tous les travailleurs.

3. ... en incitant à la prudence, on protège l'attrait du voyage. Ce dernier a besoin de regard, car il est fait de découvertes. Or, comment regarder quand on passe en bolide ? Et comment se souvenir de ce que l'on a vu après le traumatisme d'un accident ou seulement le désagrément d'un accrochage ?

Conclusion : Tout concourt, on le voit, à prôner la prudence. Sur la route comme ailleurs, elle n'amoindrit nullement l'attrait, mais le fortifie au contraire. Et surtout, elle permet l'épargne, et s'avère comme le veut l'adage : « mère de sûreté ».

Introduire

Exercice 4

1. Lisez le texte suivant, puis relevez dans l'introduction le groupe de mots qui annonce le thème *dont le texte va traiter. Relevez ensuite le groupe de mots qui annonce ce qui va être dit du thème, c'est-à-dire la structure qu'aura le texte.*
2. Parmi les fonctions suivantes, indiquez celle que ne peut pas avoir l'introduction :
  a) poser le sujet,
  b) développer le sujet,
  c) annoncer le plan du texte.
3. Cherchez, dans les différents paragraphes du texte, quel terme de liaison remplit les fonctions suivantes :
Dans le paragraphe 1 → *terme qui introduit le premier argument.*
Dans le paragraphe 2 → *a) terme qui introduit le deuxième argument,*
b) terme qui renforce ce deuxième argument.
Dans le paragraphe 3 → *a) terme qui introduit le dernier argument,*
b) terme qui crée un enchaînement entre ce dernier argument et une autre information.
4. Relevez la locution qui introduit la conclusion.

Cancer du poumon et tabac

Introduction : Depuis le début des années 30, le cancer du poumon prend une place de plus en plus importante parmi les causes de décès. Or des études approfondies ont montré, de façon indiscutable, les relations existant entre ce type de cancer et l'habitude de fumer :

9

1. S'il est vrai d'abord que certaines personnes n'ayant jamais fumé peuvent être atteintes par le mal, il est non moins vrai que parmi les gros fumeurs la proportion des malades est vingt fois plus élevée que chez les autres.

2. Le cancer du poumon se constate aussi plus fréquemment parmi les habitants des grandes villes que parmi ceux des régions rurales. Là encore, l'augmentation du taux des décès concerne surtout les fumeurs de cigarettes, car l'on sait bien que ces derniers sont plus nombreux à la ville qu'à la campagne.

3. Enfin, les recherches relatives au cancer du poumon chez les fumeurs ont conduit à l'étude d'autres causes de décès. On s'est alors aperçu que parmi ces dernières, deux frappaient plus particulièrement les fumeurs de cigarettes : la bronchite et la thrombose coronaire.

Conclusion : En fait, l'homme qui fume vingt cigarettes par jour ou davantage voit son espérance de vie diminuer de cinq ans. S'il fume quarante cigarettes ou plus, la différence peut atteindre huit ans.

Conclure

Exercice 5

1. Dans le texte ci-dessous, l'auteur développe le fait suivant :
« La Coupe du monde de football constitue une bonne affaire pour un joueur professionnel. » Rédigez une courte introduction pour ce texte : elle énoncera le fait, et indiquera qu'on va en présenter les causes.
2. Cherchez les termes de liaison qui pourraient introduire les paragraphes 1, 2 et 3.
3. Relevez le terme qui introduit la conclusion.
4. Parmi les fonctions suivantes, indiquez celles qu'assure la conclusion :
   a) Résumer ce qui a été dit,
   b) Engager un dernier argument,
   c) Ouvrir le sujet en montrant l'évolution qu'il pourrait avoir à l'avenir.

Le ballon rond est une mine d'or

... parce que sa fédération lui accorde généralement une somptueuse prime qui varie en fonction des résultats de son équipe. Les 22 sélectionnés français ont reçu 20 000 F chacun pour les trois matches du premier tour. Ils auraient gagné le double s'ils avaient réussi à se qualifier pour les quarts de finales.

... parce que sa cote peut sensiblement évoluer en fonction des exploits qu'il réalise sur le terrain.

... parce qu'il obtient souvent une part des bénéfices réalisés « sur son dos » par diverses firmes commerciales. Près d'un milliard de personnes, grâce à la télévision, se passionnent pour cette compétition sportive. Un public aussi large ne pouvait laisser insensibles les spécialistes du marketing. Ceux-ci se sont disputés le droit de vêtir ou de chausser les joueurs de football. Ils sont nombreux à utiliser leurs noms ou effigies...

Bref, les joueurs de football professionnels constituent un capital sur lequel on a beaucoup investi ces derniers temps. Le sport pratiqué et diffusé à l'échelle mondiale est devenu maintenant une affaire commerciale sans précédent. Reste à savoir si, à la longue, l'argent ne tuera pas l'esprit de la compétition.

Bernard Delcroix,
Nord-Éclair, 13 juin 1978.

RECONSTITUER UN TEXTE ARGUMENTÉ

Exercice 6

Le texte suivant a été publié dans un journal par un lecteur qui désirait faire connaître la gymnastique volontaire. A dessein, les différents paragraphes du texte ont été mélangés. En prêtant attention aux informations données par chaque paragraphe et aux termes de liaison qui les introduisent, essayez de reconstituer le texte. (Attention : les lettres placées en marge n'ont aucun rapport avec l'ordre de succession des paragraphes. Elles sont là simplement pour faciliter le corrigé.)

H D'autre part, la gymnastique volontaire est une occasion de contacts. Des personnes de métiers et de genres très divers s'y retrouvent. J'y ai rencontré par exemple un juge des enfants qui m'a parlé de sa profession et m'a beaucoup intéressé.

Q La gymnastique volontaire est maintenant très répandue, et je m'en réjouis car elle offre de nombreux avantages.

B Enfin, la gymnastique volontaire procure une excellente détente. Grâce à elle, chacun s'évade de son univers quotidien pour ne plus vivre qu'avec son corps dans un cadre sympathique.

T Et d'abord, elle apporte une compensation salutaire à la sédentarité de nos vies. Nous marchons peu, en effet, pour nous rendre au travail, que nous utilisions pour ce faire les transports en commun ou un engin individuel. Par ailleurs, notre activité professionnelle est bien souvent statique. La gymnastique volontaire, qui mobilise chacun de nos muscles, nous permet de compenser cette sédentarité et de rendre à notre corps son équilibre.

G Pour toutes ces raisons, je pense que la gymnastique volontaire est une belle réalisation sociale. Facteur d'équilibre, de rencontres et d'enrichissement, elle est sans nul doute à pratiquer.

Z Ces possibilités de contacts ouvrent des horizons. C'est ainsi que je me suis mise à fréquenter la piscine grâce à des membres de mon club de gymnastique qui m'y ont entraînée. Avec d'autres personnes, j'ai visité un musée local que je ne connaissais pas.

Introduire une restriction
dans un texte argumenté

Exercice 7

1. Lisez le texte suivant, puis relevez dans le 3ᵉ paragraphe le mot qui engage une <u>restriction</u> par rapport aux informations que donnent les paragraphes 1 et 2.
2. Relevez dans ce même paragraphe un adverbe qui introduit l'extension possible que pourrait avoir un fait.
3. Relevez dans le dernier paragraphe le groupe de mots qui marque que l'auteur conclut.

1. Tout semble avoir été dit sur la publicité, et cependant l'une de ses fonctions majeures n'est guère perçue, encore moins proclamée : c'est que la publicité est au service du consommateur.

2. En effet, sa mission est d'informer le public des caractéristiques des produits offerts sur le marché. C'est grâce à elle (le répétera-t-on jamais assez ?) que la vente de masse est rendue possible, et avec elle l'abaissement des coûts.

3. Il arrive pourtant qu'on reproche à la publicité d'informer mal, voire de tromper. Face à cette accusation, la riposte spontanée du publicitaire est de s'insurger : comment pourrait-on, en effet, parvenir à faire vendre tous les jours, et pendant des années, un même produit à des millions de personnes si l'on mentait à son sujet ?

4. Aux professionnels, en tout cas, de pourvoir le message d'un contenu véridique qui offre la plus large information. A eux de comprendre cet impératif et de s'y conformer.

Exercice 8

1. Lisez le texte suivant, puis cherchez les termes de liaison qu'on pourrait substituer aux pointillés.
2. Dans le paragraphe 2, l'auteur utilise une expression

technique : « choc en retour » : relevez la locution au moyen de laquelle il introduit l'explication de cette expression.

3. Dans le paragraphe 3, relevez le terme qui marque que l'auteur <u>raisonne</u>, s'attachant à souligner le rapport qui existe entre les faits qu'il évoque.

Introduction : Dès 1977, elle devint obligatoire en France. Elle fit aussi l'objet de slogans publicitaires, tel « Un petit clic vaut mieux qu'un grand clac ». Ainsi, la ceinture de sécurité est passée dans les mœurs de l'automobiliste français. Elle a des partisans et des détracteurs. Les uns lui trouvent des avantages ; les autres des inconvénients.

1. ... elle empêche l'automobiliste d'être projeté dans le pare-brise lors des collisions frontales. Qui a pu voir une accidentée de la route défigurée par des coupures au visage ne doute plus de l'utilité de la ceinture.

2. ... la ceinture protège le conducteur du choc en retour, c'est-à-dire du rejet du corps vers le siège. Atténuant la violence du mouvement, elle évite les lésions cervicales.

3. ... elle retient l'automobiliste sur son siège, le gardant de l'éjection. Or, cette dernière est souvent meurtrière, étant donné la vitesse généralement élevée des véhicules.

4. ... elle n'est pas sans défauts. Ses détracteurs lui reprochent essentiellement deux choses : ... elle bloque parfois le conducteur dans sa voiture, lui faisant courir, en cas d'incendie, le risque d'une carbonisation ; ..., il arrive qu'elle engendre des fractures de l'épaule par suite d'un blocage des enrouleurs.

Conclusion : Appréciée ou contestée, la ceinture est... obligatoire, et ce n'est certes pas le nombre croissant des morts de la route qui annulera l'obligation de la porter.

Articuler un texte argumenté

Exercice 9

1. Dans le texte ci-après, cherchez le terme de liaison qui convient à la place du signe suivant : ☐

2. Relevez dans l'introduction le groupe de mots qui annonce le thème *dont on va traiter. Relevez ensuite le groupe de mots qui indique* ce qui va être dit du thème.

3. Relevez les termes de liaison qui relient entre eux les paragraphes 1, 2 et 3.

4. Indiquez quel est le paragraphe qui assure la fonction suivante : être la conclusion de la 1re partie.

5. Relevez dans ce paragraphe une locution qui marque une opposition *entre deux éléments évoqués.*

6. Résumez le texte en un maximum de 90 mots.

Introduction : L'attachement au pays natal est en train de renaître et il se manifeste de diverses façons.

1. En premier lieu, on remarque dans toutes les régions l'intérêt porté au dialecte local. On défend l'occitan, le breton, le flamand ; on réclame des universités qui enseignent ces langues, et le droit qu'elles soient parlées dans les différents lieux administratifs de la vie locale : mairie, bureau de poste, etc...

2. On relève en second lieu un intérêt renouvelé pour le patrimoine culturel d'une région. Les vieux quartiers sont préservés et enfin restaurés. Qui veut y construire ne peut le faire qu'après autorisation préalable de la mairie, et engagement formel à respecter le style original. On recense les bâtiments typiques de la région : vieux moulins de Flandres, mas anciens en Provence ; on fait de même pour meubles et objets qu'on regroupe en musées, et on publie des livres pour les faire connaître.

3. En dernier lieu, on s'aperçoit que les fêtes locales sont en train de revivre partout. Elles sont rétablies là où elles avaient disparu ou rendu à leur ampleur d'antan là où elles n'étaient plus que de pâles symboles, des jours fériés sans grande particularité.

4. Cet attachement au terroir est donc très net, et il atteint toutes les couches de la population locale, alors qu'il n'était autrefois que l'apanage de gens âgés et aisés.

5. [   ] , il ne remet pas en cause le sentiment de l'unité nationale. On se sent tout aussi français qu'autrefois ; et si le patriotisme a pris un visage moins cocardier, il n'en est pas moins présent et profond.

Conclusion : Peut-être même procède-t-il de sentiments identiques à ceux qui suscitent l'attachement au terroir : le besoin de s'enraciner face aux mutations multiples et constantes qui caractérisent notre époque, puis celui de s'identifier face au gigantisme croissant que prennent les complexes industriels et commerciaux à visages multinationaux.

Exercice 10

1. Vous trouverez ci-dessous un certain nombre d'appréciations relatives au travail. Classez-les en deux colonnes :

Appréciations favorables au travail	Appréciations défavorables au travail
—	—
—	—
—	—
—	—

2. Cherchez dans la 2ᵉ colonne l'appréciation qui pourrait servir de phrase-charnière entre la 1ʳᵉ et la 2ᵉ colonnes. Introduisez-la par un terme de liaison adéquat.

16

3. Classez les appréciations de la 1ʳ partie selon une logique satisfaisante : du moins important au plus important. Dotez ensuite chacune d'elles d'un terme de liaison adéquat.
4. Procédez de même pour les appréciations de la 2ᵉ colonne.
5. Imaginez une introduction, puis une conclusion, pour un texte qui aurait pour sujet : « le travail », et répondrait à la question suivante : Quelle valeur peut-on accorder au travail aujourd'hui ?

A   Aujourd'hui comme hier, le travail en soi préserve de l'ennui.

Z   Le travail en usine fatigue excessivement par les cadences trop rapides des systèmes de production.

T   Le travail assure la subsistance matérielle sans laquelle il n'est pas d'insertion sociale possible.

H   Le travail est ennuyeux par le caractère répétitif qu'il a sur les chaînes ou dans certaines fonctions.

R   Le travail procure souvent la joie de créer, ou à tout le moins celle d'assumer des responsabilités.

F   Le travail n'a pas toujours ces aspects positifs, notamment par les formes qu'il revêt souvent en usine.

U   Le travail déshumanise quand il cantonne l'homme dans des tâches parcellaires accomplies au sein d'entreprises gigantesques.

2 Le paragraphe : unité du texte raisonné

DÉCOUVRIR LA TRIPLE FONCTION DU PARAGRAPHE

Exercice 11

1. *Des trois paragraphes suivants, indiquez : lequel commente un fait, lequel développe une idée, lequel répond à une question posée.*

2. *Indiquez lequel des mots suivants convient pour caractériser la* présentation *de chacun de ces paragraphes : « morcelée » — « monolithique ».*

3. *Relisez le paragraphe qui développe une idée et relevez-y deux termes de liaison marquant l'*opposition *entre deux faits, puis deux autres termes marquant la* conséquence.

4. *Relisez le paragraphe qui commente un fait et dites dans quel ordre se succèdent les différents éléments du commentaire ; les voici présentés pêle-mêle ci-après : a) expansion du fait ; b) naissance du fait ; c) modalités d'existence du fait actuellement ; d) modalités d'existence du fait dans le passé.*

Paragraphe 1

Notre conception du travail est réellement aberrante. Il nous paraît normal qu'une profession soit d'autant plus dévaluée qu'elle est plus pénible. Plus un métier est sale, répugnant, contraignant, moins il est considéré sur le plan social, moins il est rémunéré. Ainsi, chacun admet que l'éboueur soit au bas de l'échelle, puisqu'il accomplit de viles besognes. En revanche, le directeur commercial est grassement payé, dispose d'un bureau moquetté de 40 m². puisqu'il accomplit un travail passionnant. Il est donc assez naturel que les jeunes Français qu'on a pris la peine d'instruire n'aient aucune envie de se consacrer aux basses œuvres de la production. Ils préfèrent être chômeurs plutôt qu'O.S. Aussi manque-t-on de travailleurs manuels, alors que demeurent inemployés de nombreux jeunes gens, plus ou moins « littéraires ». Il faut rétablir la vérité du travail. Celle-ci exige qu'une tâche soit rémunérée en fonction de sa pénibilité et de son utilité.

François de Closets. Le bonheur en plus. Éd. Denoël.

Paragraphe 2

A quoi sert un chercheur ? Avant tout à satisfaire un besoin de l'homme. besoin aussi dévorant que la faim et la soif : celui de comprendre le monde dans lequel il est plongé. Toute société humaine s'efforce de fournir une réponse aux questions que chacun de nous se pose sur ce qu'il est. sur ce qu'est le monde animé ou vivant qui l'entoure. sur son passé, sur son avenir. Or la science apporte une des réponses possibles. Le chercheur joue donc le même rôle que le boulanger : il contribue par son travail à apaiser, provisoirement, une faim.

Albert Jacquart, Le Monde, 19 mai 1976.

Paragraphe 3

Il y a 65 ans, un jeune maître d'école allemand créa la première auberge de jeunesse, sur les bords de collines et de bois. Le mouvement des auberges de jeunesse se répandit ensuite progressivement à travers l'Europe. Sur les routes et les chemins, la vue de jeunes avec un sac à dos devint familière. Les auberges avaient une atmosphère amicale, sans formalités : on n'y faisait pas de distinction entre riches et pauvres, entre étudiants et ouvriers, entre Allemands et Français. Dans les 4 364 auberges qui existent à travers le monde, la fraternité est maintenant tenue pour acquise entre tous les hommes.

Graham Heath, Courrier de l'Unesco, novembre 1974.

BATIR UN PARAGRAPHE
POUR COMMENTER UN FAIT

Exercice 12

Le paragraphe suivant est consacré au commentaire d'un fait.
1. Relevez la phrase qui énonce le fait.
2. Pour commenter ce fait, l'auteur dispose de plusieurs
éléments. En voici six; l'un d'eux n'est pas employé :
trouvez-le :
   . *personnages concernés par le fait,*
   . *causes du fait,*
   . *manière dont il se déroule,*
   . *conséquences du fait,*
   . *opposition au fait,*
   . *perspective d'avenir du fait.*
3. Portez en regard de chaque élément utilisé par l'auteur les
informations qu'il apporte. Ex. : Personnages : «*appelants*» :
adolescents, vieillards isolés, etc. ; «*appelés*» : personnes
bénévoles, équilibrées...

La parole libératrice

En cinq ans, le nombre des appels téléphoniques reçus
par S.O.S. Amitié a doublé. De l'adolescent déprimé au
handicapé isolé, de la femme mariée qui ne parvient
plus à communiquer avec son mari au vieillard qui ne
parle à personne, la diversité des « appelants » est telle
qu'aucun âge, aucun sexe, aucun milieu social n'est
absent. Jour après jour, les câbles de téléphone tissent
une sorte de filet de la solidarité discrète. Grâce à
S.O.S. Amitié, chacun est assuré qu'au pire moment, il
y aura encore, disponibles 24 heures sur 24, plusieurs
centaines de personnes disposées à écouter. Les artisans
de ce service ne peuvent pas être des professionnels.
Leur recrutement est sélectif et vise à assurer l'hétérogé-
néité des équipes dans chaque ville. Recrutés autant que
possible en fonction de leur équilibre personnel, ces
« écoutants » restent en moyenne quatre ans dans le
mouvement. Leur activité est bénévole et limitée dans le
temps. C'est un moment de leur vie.

In Le Monde du 3 juin 1977.

Exercice 13

Voici le début d'un paragraphe qui commente un fait : « Le tennis a cessé d'être l'apanage d'une classe sociale; il se vulgarise de plus en plus. »
1. Poursuivez ce paragraphe en développant les causes du fait. Elles sont les suivantes :
. Le tennis se démocratise parce qu'il coûte moins cher.
. La télévision le glorifie.
. Les courts de tennis se multiplient.
En présentant ces causes, vous utiliserez les termes de liaison suivants : d'abord/par ailleurs/enfin.
2. Imaginez ensuite une phrase conclusive qui termine le paragraphe.

Exercice 14

Construisez un paragraphe d'environ 90 mots qui commente le fait suivant en présentant ses causes : « Dans leur ensemble, les adolescents se plaisent à pratiquer un sport. »

Retrouver un fait commenté par un paragraphe

Exercice 15

Le paragraphe suivant est consacré au commentaire d'un fait. L'énoncé de celui-ci a été effacé. Essayez de le retrouver.

. . . . En France, bientôt, les moins de vingt ans ne seront plus que 30 %. Les conséquences économiques sont évidentes. Elles ne sont pas seules. Les pays occidentaux de race blanche, Russie comprise, composaient en 1920 le tiers de l'humanité. Si la récession se poursuit, en 2000, ils n'en composeront plus qu'un cinquième. Quand le rapport des forces démographiques contredira aussi cruellement le rapport des forces économiques, la guerre des races sera proche.

L. Pauwels.

Exercice 16

1. Essayez de retrouver le fait dont ce paragraphe constitue le commentaire. Énoncez-le en une phrase.
2. L'auteur développe le fait en présentant trois de ses causes. Relevez le terme d'articulation qui introduit chacune d'elles.
3. Relevez le terme qui introduit la conclusion.

. . . .

Les statistiques le prouvent : ils sont des milliers à vivre ainsi. C'est d'abord le changement de mœurs qui fait qu'on accepte plus facilement qu'autrefois cet état de choses. Jadis, la société montrait du doigt les quelques couples qui vivaient en concubinage. Aujourd'hui, cette situation paraît normale ; on a même remplacé le mot « concubinage » par l'expression « union libre », beaucoup moins péjorative. L'incertitude des jeunes est une autre cause du changement. Ils appréhendent l'avenir, et répugnent à s'engager trop tôt de façon définitive. Enfin, certains jeunes veulent inventer une nouvelle façon de vivre. Les divorces et les échecs de leurs aînés les poussent à chercher une autre voie. Ils veulent donner au mot « amour » un autre sens. Ainsi, le « mariage à l'essai » s'ancre solidement dans les mœurs. En l'état actuel des choses, on ne voit pas ce qui pourrait stopper le phénomène.

Commenter un fait par divers procédés

Exercice 17

1. Contrairement aux textes précédents, le paragraphe ci-dessous utilise peu les causes du fait qu'il présente pour commenter ce dernier. Il utilise essentiellement un autre procédé : trouvez-le.
2. Relevez la phrase qui indique brièvement les causes du fait.
3. Relevez tous les termes de liaison qui marquent la succession chronologique des faits.

De nombreux coureurs automobiles meurent en compétition ou s'y blessent grièvement. Les exemples sont hélas nombreux. Après Patrick Depailler qui se tua lors des essais du Grand Prix d'Allemagne, c'est Gilles Villeneuve, pilote expérimenté cependant, qui se tua en course. Plus près de nous, et peu après le décès de Villeneuve, Didier Pironi faillit bien laisser sa vie sur le circuit d'Hockenheim. S'il survécut, il fut grièvement blessé. Il en alla de même, quelques années auparavant, de l'Autrichien Nickie Lauda, gravement brûlé au visage et à jamais défiguré. Du plus loin qu'on regarde le palmarès mortuaire du sport automobile, on y voit hélas s'inscrire de jeunes noms : François Cevert, les frères Gonsalves, etc. Le sport automobile est certes spectaculaire et splendide, mais aussi dangereux. On ne roule pas impunément roue contre roue à plus de 200 km/heure.

Exercice 18

Dans le paragraphe suivant, l'auteur commente par l'<u>exemple</u> *un fait qu'il a énoncé. La formulation de ce fait a été effacée ; essayez de la retrouver après avoir lu le paragraphe :*

. . . .

Les Américains, par exemple, qui se méfiaient de l'obésité et de la carie dentaire mangeaient peu de bonbons. Eh bien, la plus grosse fabrique de bonbons américaine, la « Sugar information », prit précisément appui sur la crainte de l'obésité pour déployer toute une campagne publicitaire exhortant les gens à essayer « le grignotement scientifique de sucreries » pour refréner leur appétit. Le résultat ne se fit pas attendre : les gens se remirent à manger des bonbons.

Commenter un fait par le processus de son choix

Exercice 19

1. Essayez de poursuivre le développement du fait ci-après énoncé en utilisant les phrases-supports qui vous sont proposées.

2. Relevez dans l'énoncé du fait une locution qui marque l'opposition entre jeunes et adultes. (Elle contribue à articuler le texte en deux parties.)
3. Relevez dans les phrases-supports les éléments suivants : a) un terme qui ajoute un argument à un autre ; b) un groupe de mots qui introduit la mini-conclusion d'une première partie ; c) une locution qui marque l'opposition entre l'attitude des adultes et celle des jeunes ; d) le terme qui introduit la conclusion définitive.

Fait : Les jeunes aiment l'aventure alors que les adultes ne s'y risquent plus.
Phrases-supports : En effet, il est dans la nature de la jeunesse d'aimer le changement.
. . . .
. . . .
. . . .
Par ailleurs, l'aventure se pare aux yeux des jeunes d'une incontestable séduction. . . . .
. . . .
. . . .
Voilà pourquoi les jeunes aiment l'aventure. Les adultes, en revanche, répugnent à s'y risquer : ils ont construit . . . .
. . . .
. . . .
Ainsi, jeunes et adultes ont (ou : sont) . . . .
. . . .

Exercice 20

Selon que vous tenez pour vrai l'un ou l'autre des faits suivants, commentez-le en un court paragraphe d'une cinquantaine de mots. Vous pouvez, pour ce faire, montrer les causes du fait, ou illustrer ce dernier par des exemples ; ou encore utiliser cette double possibilité du commentaire : causes et exemples, et en ajouter d'autres : conséquences, remèdes éventuels, etc.
1. La vie en ville crée l'anonymat.
2. La vie en ville est une fête quotidienne.

LE PARAGRAPHE
DÉVELOPPANT UNE IDÉE

Bâtir un paragraphe
pour développer une idée

Exercice 21

*1. Les trois paragraphes ci-dessous développent la même idée :
« Par son caractère instantané, l'information influe bien souvent
sur l'événement qu'elle présente. » Sachant que l'*exemple *est un
fait réel pris dans la vie, que l'*anecdote *est une histoire fictive,
sorte de tableau vivant comme le sont les fables, et que
l'*argumentation *est un ensemble d'idées coordonnées entre elles
afin de prouver quelque chose, dites lequel de ces processus est
utilisé dans chacun des paragraphes ci-dessous pour développer
l'idée.
2. Le paragraphe dont l'idée est développée par l'argumentation utilise deux termes de liaison qui ont respectivement cette
valeur : a) addition d'un argument avec un autre ; b) introduction d'une conséquence. Trouvez ces termes.*

Paragraphe A :

Il ne saurait en être autrement. Des dizaines de satellites
dominent aujourd'hui notre globe, posant implacable-
ment sur lui les regards de leurs caméras. Rien ne leur
échappe ; le moindre événement est immédiatement
repéré. D'autre part, les systèmes de communication
sont tels que la transmission d'une information suit
instantanément son repérage. Ainsi, le public est-il
averti d'un événement au moment même où celui-ci
commence à se produire. Rien d'étonnant, en ce cas, à
ce que les réactions du public interviennent parfois
avant même que l'événement ne se termine. Il n'est pas
rare alors qu'elles infléchissent son cours. Et c'est ainsi
que l'information, par son caractère d'instantanéité,
peut modifier le fait même qu'elle annonce.

Paragraphe B :

Jadis la nouvelle cheminait lentement. On sait qu'en 1821 la mort de Napoléon ne fut connue à Paris que près de trois mois après qu'il eut rendu à Sainte-Hélène le dernier soupir, et près d'un an plus tard seulement en province. Avec la radio et la télévision, la relation est devenue instantanée. En 1969, des centaines de millions de téléspectateurs de plus de trente pays ont pu assister aux premiers pas de l'homme sur la lune. A ce stade, la diffusion des faits commence d'influer sinon sur ces faits eux-mêmes, du moins sur leurs conséquences immédiates. Et ce n'est pas tout. En France, dès avril 1961, les transistors des soldats d'Algérie contribuaient puissamment à empêcher l'armée de basculer du côté des généraux révoltés. Et plus encore, en mai 1968, les récits haletants des radioreporters sur le fond sonore des affrontements ponctués par le bruit des explosions précipitaient vers le Quartier Latin des milliers de Parisiens, et donnaient à ce qui aurait pu n'être qu'une bagarre d'étudiants le caractère d'une émeute. Ainsi l'information sur les ondes, par son instantanéité, ne modifie plus seulement la suite, mais la nature même de l'action qu'elle annonce.

P. Viansson-Ponté,
« Informer, c'est agir »,
Le Monde du 23 octobre 1972.

Paragraphe C :

Pierre est directeur d'une chaîne radiophonique. A tout instant, les téléscripteurs de sa station vomissent les nouvelles provenant de grandes agences de presse : France-Presse, Havas, Tass, etc. Soudain, une nouvelle tombe sur les téléscripteurs : la Vierge serait apparue à une enfant dans un petit village du Cantal. Pierre donne l'ordre de diffuser l'information. Aussitôt, des centaines de personnes montent dans leur voiture et convergent vers le village en question. Bientôt, elles sont des milliers. Certaines sont sceptiques, d'autres croient fermement ; d'autres encore, influencées par ce grand rassemblement populaire. subissent les effets de la foule et du caractère insolite de l'événement : elles croient voir des signes surnaturels : une croix lumineuse dans le ciel. le visage de la Madone dans un nuage. Bientôt, ce qui n'était peut-être que l'illusion d'un enfant, ou à tout le moins un fait qui requérait prudence et vérification. devient un événement considérable, incontrôlable. L'information. par son instantanéité, a modifié l'événement même dont elle vient de rendre compte.

Développer une idée
par un premier processus

Exercice 22

1. Indiquez si le paragraphe ci-après démontre par l'exemple, par l'argumentation ou par l'anecdote l'idée qu'il développe. 2. Relevez la phrase à partir de laquelle l'auteur généralise. 3. La formulation de l'idée comporte le mot « précipitation ». Relevez dans le paragraphe tous les mots évocateurs de vitesse et classez-les à l'aide de la grille ci-dessous. Tirez-en ensuite une conclusion sur la façon dont on peut développer une idée en s'aidant du vocabulaire.

adverbes	verbes	adjectifs	noms

Nos contemporains souffrent de précipitation chronique. Voici une jeune secrétaire parisienne qui s'éveille. A peine debout. elle prend hâtivement son petit déjeuner. s'habille promptement. puis dévale l'escalier de son immeuble tant elle a peur de manquer le métro de 8 heures. C'est d'un pas vif qu'elle parcourt le couloir de sortie du métro. puis la distance qui la sépare de son entreprise. Il ne lui reste en effet que dix minutes pour être à l'heure. A 8 heures 30. la journée professionnelle commence. Machines. claviers. téléphones ne cessent de fonctionner sur un rythme trépidant. A midi. c'est la pause rapide de la « journée continue ». On mange en trente minutes. Puis. l'activité professionnelle reprend avec la même densité et selon la même cadence. Télex, lettres, dossiers : tout est « pressé ». 16 heures 30 voit notre jeune femme refaire d'un pas alerte le chemin qu'elle a parcouru le matin. Il lui faut être, en effet, à 17 heures dans son quartier pour suivre l'entraînement du club sportif auquel elle adhère (quand on a la chance d'appartenir à la « civilisation des loisirs », on se doit d'en profiter !). 19 heures : c'est le retour au logis, et la prise en main des activités ménagères. Il faut faire vite car il y a un beau film à ne pas manquer à la télévision. La nuit vient, et notre secrétaire cherche vainement son sommeil. Son système nerveux, éprouvé par la hâte, ne sait plus se relaxer. Alentour d'elle, des centaines de Français souffrent du même mal et pensent comme elle : « Je suis fourbue ! » Leur « overdose » de précipitation quotidienne les a usés.

Exercice 23

Le paragraphe commencé ci-dessous vise à développer par l'anecdote l'idée suivante : « Quand il est au volant de son véhicule, l'homme change de comportement. » Le paragraphe est simplement commencé ; essayez de l'achever en une centaine de mots. N'oubliez pas de le terminer par une phrase qui conclut ou qui généralise de manière à montrer que l'anecdote illustre bien l'idée :

Quand il est au volant de son véhicule, l'homme change de comportement. Monsieur Six monte dans sa voiture, s'installe confortablement et démarre. Cet homme est d'un naturel tranquille. Il entretient d'aimables relations avec son voisinage qui le tient pour un personnage avisé et courtois. Or, regardez-le au volant : . . . .
. . . .
. . . .
. . . .
. . . .

Développer une idée
par un deuxième processus

Exercice 24

1. Le paragraphe ci-dessous développe au moyen d'exemples l'idée qu'il énonce. Citez les trois domaines dans lesquels se situent les exemples pris par l'auteur.
2. Relevez les termes qui introduisent la phrase qui conclut.
3. Dites à quoi servent les trois groupes nominaux apposés dans la dernière phrase (« ... ses goûts, son besoin de s'identifier, son idéal »).

La jeunesse ressemble au caméléon : elle est changeante. La vie courante en donne de multiples exemples. Il n'est que de regarder d'abord la tenue vestimentaire des jeunes pour s'en convaincre. Ce sont eux qui suivent hardiment les changements de formes et de couleurs proposés par les modélistes. D'ailleurs, les couturiers ne changent aussi souvent la mode que parce qu'ils connaissent bien ce goût de la jeunesse. La vie familiale en donne d'autres exemples. Les parents aménagent leur habitat en vue d'une période assez longue, alors que les jeunes changent fréquemment la décoration de leur chambre et la disposition du mobilier. Les parents sont attachés aux traditions, quand leurs enfants affichent vis-à-vis d'elles une totale liberté. Ils les agréent ou les renient, selon le cours de leur évolution. S'ils ont ce comportement, c'est qu'ils refusent de copier les adultes, d'être seulement les héritiers de leurs parents. Ils veulent que leur génération change de style, qu'elle ait son identité propre. Il en va de même dans la vie politique. Les jeunes désirent changer la société, la remodeler selon leur foi. L'autre soir, dans un reportage télévisé sur un pays en crise, on interviewait un adolescent. Souriant, malgré la mort qui l'entourait, ce jeune disait son espoir en un changement de société. Sa lutte était portée par sa foi en un monde meilleur. On le voit, le besoin de changement est inhérent à la jeunesse. Tout l'y porte : ses goûts, son besoin de s'identifier, son idéal.

Exercice 25

Le paragraphe ci-dessous développe l'idée qu'il énonce au moyen d'un exemple. Essayez de compléter ce paragraphe en lui adjoignant un second exemple.

Il n'y a pas de joie qui rende un homme plus heureux que celle qu'il acquiert au prix de l'effort. Lire Pascal, par exemple, n'est pas chose facile. Il faut d'abord se familiariser avec le style, s'exercer à le décoder. Cela demande du temps et de la persévérance. Mais quelle joie ensuite de lire l'œuvre aisément et d'en découvrir toute la richesse ! Il en va de même pour . . . .

Développer une idée par un troisième processus

Exercice 26

1. Indiquez le processus de développement utilisé par l'auteur dans le paragraphe ci-dessous : s'agit-il de l'exemple, de l'anecdote ou de l'argumentation ?

2. Résumez en une phrase chacun des éléments employés par l'auteur pour montrer que : « La formation se doit de préparer les jeunes à l'adaptation » (ex. : Élément 1 → les techniques évoluent).

3. Relevez les termes de liaison qui marquent, au sein du paragraphe, l'expression des rapports logiques suivants :

Cause	Conséquence	Opposition

4. Dans la phrase suivante, indiquez si « or » marque une opposition entre des faits ou, au contraire, une concordance : « Qui ne s'adapte pas est voué à l'échec : or, l'adaptation est rarement innée chez les êtres. »

Quelle que soit la branche professionnelle dans laquelle elle s'exerce, la formation se doit de préparer les jeunes à l'adaptation. En effet, les techniques évoluent constamment, modifiant les machines et les méthodes de travail. Un même métier est appelé à se transformer au cours des années, au point de s'en métamorphoser parfois. Dès lors, qui répugne à sortir de son sillon routinier, qui ne se sent pas à l'aise hors de l'activité à laquelle il s'est habitué, est voué à l'inadaptation, avec tout ce qu'elle comporte d'angoisse et d'incompétence. Par ailleurs, l'évolution des techniques entraîne la suppression de certains métiers et la naissance de fonctions nouvelles ; or une personne dont la profession disparaît doit être capable d'en exercer une autre sous peine de connaître le chômage. Cette reconversion ne sera pas seulement fonction de connaissances nouvelles, elle dépendra aussi de la capacité de l'individu à s'adapter au changement. Enfin, les progrès fantastiques des moyens de communication et de transports font que l'activité industrielle et commerciale est de plus en plus multinationale. La plupart des grandes entreprises ont des succursales dans différents pays, voire dans divers continents, si bien que leur personnel est parfois appelé à travailler à l'étranger. Cela implique changement d'environnement, de civilisation, de méthodes de travail. Ici encore, qui ne s'adapte pas est voué à l'échec. Or, l'adaptation est rarement innée chez les êtres. A l'inverse de certaines espèces animales, les humains ne sont guère migrateurs. Tout les porte, au contraire, à se fixer en un lieu et à se créer des racines. Dès lors, l'adaptation au changement requiert préparation, et celle-ci doit intervenir très tôt, dès la jeunesse, comme tout apprentissage essentiel. C'est donc à la formation de l'assurer.

Exercice 27

Essayez de développer par l'argumentation l'idée formulée ci-dessous. Vous utiliserez, pour ce faire, le canevas de paragraphe qui vous est proposé :

Bien vieillir est le souhait légitime de chacun d'entre nous, mais les chances d'y parvenir ne sont pas les mêmes pour tous. *Déjà*, le cadre supérieur a . . . .
Ce même cadre, de surcroît, peut . . . .
. . . .

A *ces* inégalités sociales *s'ajoutent* les inégalités biologi-
ques . . . .
En effet. . . . .
. . . .
Enfin, il est incontestable que l'âge a *moins* d'effet *sur*
. . . . *que*
sur . . . .
Ainsi, ...

Retrouver une idée développée
par un paragraphe

Exercice 28

*1. La première phrase de ce paragraphe a été effacée. Essayez
d'imaginer ce qu'elle pourrait être : elle présente l'idée que
développe le paragraphe.
2. Relevez les termes de liaison qui unissent entre eux les
différents arguments et permettent de passer de l'un à l'autre.
3. Relevez le terme de liaison qui introduit la phrase qui
conclut :*

. . . .

Et d'abord les minutes ne se justifient plus pour lui.
N'étant plus affectées à une activité particulière, elles
perdent leur spécificité. Elles se ressemblent, et il s'y
noie. De plus, il s'enlise socialement dans l'anonymat. Il
n'est plus qu'un numéro matricule perdu dans une
longue liste composée d'autres numéros. Il a troqué la
raison sociale que lui donnait sa profession contre une
autre beaucoup plus commune : le chômage. Il est
conscient de cet anonymat ; il s'y englue, et en a honte.
Peu à peu, il finit par s'introspecter et par se trouver des
raisons de culpabiliser. Dès lors, il évite le contact avec
les travailleurs de la vie active. Il se sent inférieur à eux.
Il s'isole. Il est donc vrai qu'un homme ne peut rester
épanoui s'il reste longtemps sans emploi. L'inactivité, le
semi-anonymat où il sombre, le préjugé social qui
entache la condition de chômeur : tout concourt à
ruiner son bonheur.

Poursuivre le développement d'une idée

Exercice 29

Le paragraphe ci-dessous développe par l'argumentation l'idée qu'il énonce. Essayez de le terminer en utilisant les trois thèmes suivants ou seulement deux d'entre eux :
. langage et communication entre les hommes,
. langage et expression de la personnalité,
. langage et transmission du savoir.
N'oubliez pas d'unir par des termes de liaison les différents arguments que vous emploierez.

Le langage est la plus belle conquête de l'homme. En effet, il est le révélateur de l'intelligence humaine. Il marque qu'il y a bien longtemps on a fait une association entre un fait et un son, et que c'est cet instant de génie qui a donné aux hommes une possibilité illimitée d'évoluer en leur permettant de communiquer. Aujourd'hui, le langage garde une valeur fondamentale. Il assure des fonctions essentielles. Et d'abord, il . . . .

Comparer des paragraphes développant la même idée

Exercice 30

Comparez les paragraphes ci-dessous, et dites dans lequel les arguments utilisés apparaissent le plus nettement. Indiquez-en la raison.

Paragraphe A :

L'homme et la femme ne sont pas égaux dans la vie professionnelle. A travail égal, d'abord, le salaire n'est pas égal, sauf dans la fonction publique. On constate ainsi dans le secteur privé des différences d'appointements de l'ordre de 20 à 30 % entre un homme et une femme occupant le même poste de travail. Quand cette situation est justifiée, elle l'est toujours par des propos oiseux. On parle, par exemple, d'une santé féminine plus délicate, plus sujette à l'arrêt de travail, alors qu'une femme s'avère dans la vie tout aussi résistante qu'un homme, sinon plus. Par ailleurs, les possibilités d'avancement ne sont pas les mêmes pour une femme que pour un homme. D'une part, celui-ci gravit plus rapidement les échelons de la vie professionnelle ; d'autre part, il est autorisé à s'avancer beaucoup plus loin qu'une femme dans le profil d'une carrière. Il est rare ainsi qu'on confie à une femme des postes de haute responsabilité, tandis que les hommes P.D.G., chefs d'entreprise ou chirurgiens abondent sur le marché. Enfin, l'homme et la femme ne sont pas égaux devant le chômage, c'est-à-dire devant la recherche d'un emploi. Les chiffres sont là, indiscutables : les femmes représentent à elles seules plus de la moitié des demandeurs d'emploi. C'est donc que les employeurs embauchent de préférence des hommes. Ainsi, l'on constate que l'homme et la femme sont loin d'être à égalité dans la vie professionnelle et que cette situation, pour injuste qu'elle soit, est bien patente. On n'a pas fini d'y remédier !

Paragraphe B :

L'homme et la femme ne sont pas égaux dans la vie professionnelle. A travail égal, le salaire n'est pas égal, sauf dans la fonction publique. On constate dans le secteur privé des différences d'appointements de l'ordre de 20 à 30 % entre un homme et une femme occupant le même poste de travail. On justifie cette situation par des propos oiseux. On parle d'une santé féminine plus délicate, plus sujette à l'arrêt de travail ; une femme s'avère dans la vie tout aussi résistante qu'un homme, sinon plus. Les possibilités d'avancement ne sont pas les mêmes pour une femme que pour un homme. Celui-ci gravit plus rapidement les échelons de la vie professionnelle. Il est autorisé à s'avancer beaucoup plus loin qu'une femme dans le profil d'une carrière. Il est rare qu'on confie à une femme des postes de haute responsabilité ; les hommes P.D.G., chefs d'entreprise ou chirurgiens abondent sur le marché. L'homme et la femme ne sont pas égaux devant le chômage, devant la recherche d'un emploi. Les chiffres sont là, indiscutables : les femmes représentent à elles seules plus de la moitié des demandeurs d'emploi. Les employeurs embauchent de préférence des hommes. On constate que l'homme et la femme sont loin d'être à égalité dans la vie professionnelle. Cette situation est injuste. Elle est patente. On n'a pas fini d'y remédier !

Bâtir un paragraphe pour répondre à une question posée

Exercice 31

Lisez le paragraphe suivant, puis suivez les consignes énoncées au-dessous :

Mais que demande donc le public à la télévision ? Il réclame à la fois qu'on lui change les idées, qu'on le protège du silence et qu'on l'informe sans qu'il ait à faire d'efforts. Ces demandes ne sont pas sans raisons. Et d'abord, la vie est beaucoup plus fatigante qu'autrefois. Elle impose un rythme rapide où les activités affluent. Le soir, les gens sont las ; ils éprouvent, comme ils le disent, le besoin de « se changer les idées ». Entendons par là qu'ils souhaitent délasser leur corps tout en oubliant les tâches de la journée. Par ailleurs, le public veut se protéger du silence. Il en a peur. La vie moderne l'a habitué à un tel tourbillon que le retour à la vie intérieure l'effraie. Dans ces conditions, le bruit est l'opium, l'antisolitude, et les gens demandent à la télévision de le leur donner. Enfin, ils souhaitent être informés sans avoir d'efforts à fournir. Ils n'éprouvent guère, en effet, le désir de lire, et pensent sincèrement n'en être plus capables. Pour cette raison, l'information télévisée, où l'image supplée souvent le texte, leur convient. Telles sont les demandes du public. Le meilleur des P.D.G. d'une chaîne n'y peut rien.

Consignes :

1. *Voici dans le désordre les différentes parties de ce paragraphe ; indiquez dans quel ordre elles se succèdent :*
   . *réponse à une question donnée,*
   . *explication de la réponse,*
   . *formulation d'une question.*
2. *Lorsqu'il explicite la réponse qu'il apporte à la question qu'il pose, dites si l'auteur présente : les <u>causes</u> de cette réponse, ses <u>conséquences</u> ou son <u>but.</u>*

Exercice 32

Le paragraphe suivant commence par une question relative à la télévision ; essayez de l'imaginer :

.... ? Parce qu'elle apporte un spectacle complet, et même parfois, si le programme est bien conçu, un enrichissement culturel indéniable. L'ouvrier qui a travaillé en usine toute la journée, devant sa perceuse ou devant son tour, le terrassier qui a manœuvré son marteau-piqueur ou sa pioche, le commerçant qui a fait face aux clients, ne recherchent pas le soir des lectures studieuses. La télévision leur apporte précisément la documentation variée et agréable qu'ils recherchent. Elle est très facilement consommable : il suffit d'écouter pour l'absorber. La télévision répond donc à cet immense désir qu'éprouvent tant d'hommes de bonne volonté à notre époque : apprendre, mais de façon souple et attrayante.

Exercice 33

Essayez de construire un paragraphe qui réponde à la question suivante : « A quoi servent les livres ? » Vous pouvez, pour ce faire, utiliser le canevas proposé ci-dessous, et par lequel un auteur répond à la question posée.

A quoi servent les livres ? Notre espoir à tous en prenant un livre est de ....
....
....

36

Mais le gain essentiel qu'on peut tirer de la lecture est peut-être de ....

....

CONNAÎTRE LA GÉOGRAPHIE
DU PARAGRAPHE

Exercice 34

1. L'auteur du texte ci-dessous a voulu démontrer en un paragraphe *l'idée qu'il développe : y est-il parvenu? Justifiez votre réponse.*
2. Relevez le terme qui introduit la conclusion du texte.
3. L'idée comporte le verbe « développer » : relevez, dans chaque argument employé par l'auteur, les mots ou groupes de mots qui impliquent cette idée de « développement de la personnalité ». Classez-les en trois séries : noms, verbes, adjectifs.

Le sport développe les grandes vertus morales et sociales.
Et d'abord, il habitue à l'effort. Quand l'activité sportive est réellement pratiquée, c'est-à-dire quand on s'efforce de l'accomplir comme elle se doit et de la mener à son terme, elle requiert presque inévitablement à un moment donné un dépassement de soi.
On va un peu plus loin qu'on ne le prévoyait, qu'on ne le désirait. On apprend à se dépasser.
Par ailleurs, le sport entraîne à l'action. Lorsqu'on a un ballon entre les mains, il faut décider rapidement de ce qu'on va en faire, et passer à l'acte sans délai. On s'exerce ainsi à prendre des initiatives et à agir.
Enfin, le sport apprend à vivre avec les autres. Les sports collectifs, beaucoup plus nombreux que les sports individuels, ne se peuvent pratiquer en effet sans une collaboration étroite avec les partenaires. Ils nous apprennent à tenir compte des autres et à agir ensemble.
Ainsi, le sport développe en nous des qualités morales et sociales. C'est une excellente école d'apprentissage de la vie.

3 | La phrase articulée : unité du paragraphe

I. L'EXPRESSION DE LA CAUSE

Exercice 35

1. Dans chacun des ensembles ci-dessous proposés, reliez la proposition principale présentée à gauche avec les propositions présentées à droite en utilisant à chaque fois un terme de liaison adéquat. Vous le choisirez dans le groupe de locutions présentées au centre. Cela vous conduira peut-être à modifier le mode des subordonnées ainsi constituées. Vous pouvez, si l'harmonie de la phrase le requiert, placer l'une des propositions subordonnées avant la proposition principale. Sur ce modèle :

Proposition principale	*Locutions*	*Propositions à relier*
Frédéric sort	bien que parce que	- il a un rendez-vous chez le dentiste. - il pleut à torrents.
Bien qu'il pleuve à torrents, Frédéric sort parce qu'il a un rendez-vous chez le dentiste.		

Ensemble A :

Proposition principale	Locutions	Propositions à relier
Le dialogue est impossible avec vous	● sous prétexte que ● puisque ● quoique	- nous souhaitons arriver à un accord. - vous ne voulez faire aucune concession. - vous avez absolument raison.

Ensemble B :

Proposition principale	Locutions	Propositions à relier
Nous ne pouvons approuver l'attitude de Corinne	● c'est que ● sous prétexte que	- elle est notre amie. - elle a tellement mal agi !

Ensemble C :

Proposition principale	Locutions	Propositions à relier
Il faudrait abattre la cheminée	● non que ● pour que ● mais parce que	- vous avez plus de place dans ce living. - elle est laide. - elle est beaucoup trop grande.

Ensemble D :

Proposition principale	Locutions	Propositions à relier
J'accepte votre invitation	• puisque • parce que • mais à la condition que	- le prix de cette location est élevé. - vous insistez. - nous partageons. les frais.

2. A présent que vous avez fini l'exercice, soulignez dans les phrases complexes que vous avez construites les locutions qui expriment la cause.

Exercice 36

Voici les valeurs respectives de « parce que » et de « puisque » :

« Parce que » → se borne souvent à exprimer la cause d'un fait en fournissant <u>une simple explication.</u>

« Puisque » → exprime la cause d'un fait pour <u>démontrer</u> l'exactitude de ce dernier.

Vous référant aux valeurs de ces locutions et au contexte de chaque énoncé, choisissez entre « parce que » et « puisque » la locution qui vous semble la plus adéquate pour combler les pointillés des phrases suivantes :

1. Votre position est absolument indéfendable. Vous ne pouvez nier que vous connaissez ce garçon ...... on vous a photographiés avec lui.

2. On nous a photographiés avec ce garçon ...... il se trouvait à côté de nous.

3. Le calme régnait hier à Zolovay après les violents incidents de samedi. Calme tout à fait précaire cependant ...... de nouvelles manifestations sont prévues aujourd'hui.

4. Le calme a régné hier à Zolovay ...... des pluies abondantes se sont abattues sur la ville.

5. Luc s'oriente vers l'informatique ...... ce secteur l'intéresse.
6. ...... l'informatique est la science de l'avenir, oriente-toi vers ce secteur.

Exercice 37

Voici la valeur de « c'est que » : cette locution dramatise l'expression de la cause, ou à tout le moins insiste sur l'importance de cette dernière. Vous référant à cette valeur et à celle de « <u>parce que</u> » (cf. exercice précédent), et tenant compte du contexte de chaque énoncé, choisissez entre « <u>parce que</u> » et « <u>c'est que</u> » pour combler les pointillés des phrases suivantes. (Attention : « c'est que » est le plus souvent précédé d'un point-virgule ; quand vous emploierez cette locution, il vous faudra donc modifier la ponctuation.)

1. Jacques doit passer à la poste ...... il a une lettre recommandée à retirer.
2. En entrant dans le bureau de poste, Jacques avait le cœur battant ...... son avenir dépendait de la lettre qu'il allait recevoir.
3. Quand l'animateur posa la dernière question, le public retint son souffle ...... le candidat jouait quitte ou double !
4. L'animateur s'éclaircit la voix ...... il était enroué.
5. Le canot de Simon progressait lentement ...... son moteur marchait mal.
6. Du haut du phare, nous suivions anxieusement la progression du canot de sauvetage ...... la tentative était périlleuse !

Exercice 38

Voici la valeur de « en effet » : ce terme introduit la cause d'un fait, en s'attachant à <u>prouver</u> que ce fait est exact ou bien fondé. Ce souci de preuve explique que « en effet » introduit souvent une proposition assez longue ; mais comme on peut placer un *point avant cette locution, son emploi permet de construire deux phrases au lieu d'une seule qui serait très longue :*

Ex. : Je ne peux pas lire ce document sans lunettes. En effet, je souffre d'une myopie prononcée qui me rend impossible la lecture de textes imprimés en petits caractères.

Connaissant la valeur de « en effet » et celle de « parce que » (cf. ex. 36 et 44), choisissez entre l'un et l'autre pour combler les pointillés des phrases suivantes. (Attention : l'emploi de « en effet » vous amènera à modifier la ponctuation. Employé en tête de phrase, il est précédé d'un point et suivi d'une virgule.)

1. J'ai choisi ce métier ...... j'aime énormément la mécanique.
2. L'amour de l'homme pour sa voiture résiste à tous les obstacles ...... les hausses répétées du prix des carburants, l'augmentation de la vignette, les difficultés croissantes de la circulation n'ont diminué en rien le nombre des voitures, bien au contraire : les immatriculations sont en augmentation.
3. La commission baleinière internationale a eu raison d'interdire la chasse à la baleine pour une durée d'au moins cinq ans ...... cet animal se raréfie de plus en plus en mer et certaines espèces sont en voie de disparition.
4. Je ne participe pas aux chasses à la baleine ...... j'aime cet animal.
5. Jacques ne viendra pas au défilé ...... il souffre d'un lumbago.
6. La défection de Jacques est tout à fait involontaire ...... il souffre d'un lumbago qui lui interdit le moindre mouvement ; le seul fait de lever la tête lui est déjà pénible.

Exercice 39

Chacune des phrases suivantes comporte un terme de liaison exprimant la cause ; mais ce terme est impropre : il a été emprunté à une autre phrase. Ainsi, les termes de liaison des différentes phrases de l'exercice ont-ils été mélangés. Recopiez chaque phrase en retrouvant pour elle le terme de liaison adéquat.

1. J'ai eu un accident ; mes réflexes étaient amoindris _grâce aux_ tranquillisants.
2. Guy a fini par obtenir ce diplôme _faute de_ persévérance.
3. J'ai obtenu cette faveur _sous l'effet d_'une intervention du maire.
4. La construction du théâtre est interrompue _à force de_ crédits.
5. Gilles est rusé ; il ne fera pas connaître sa position _en raison d_'une extinction de voix.
6. Le salon de coiffure sera fermé le 6 mars _sous prétexte d_'une grève.

RÉPERTOIRE DES PRINCIPAUX TERMES DE LIAISON EXPLICITANT LA CAUSE

1. Locutions conjonctives :

Parce que	→	fournit souvent une simple explication :
		Je sors _parce que_ j'ai une course à faire.
Puisque	→	tend à démontrer :
		On ne peut pas accuser Dominique de ce vol, _puisqu_'elle était absente ce jour-là.
C'est que	→	dramatise l'expression de la cause, souligne l'importance de cette dernière :
		Nous nous faisons beaucoup de soucis pour Philippe ; _c'est que_ sa tentative est risquée !
Non que, _mais parce que_	→	présentent une cause niée, puis une cause authentifiée :
		Je ne recevrai pas Monique, _non que_ je lui en veuille, _mais parce que_ notre entrevue serait stérile.

2. Conjonction de coordination :

Car → affirme catégoriquement :
Je ne jouerai plus avec François *car* il triche.

3. Adverbe :

En effet → tend à prouver :
Il nous faut interrompre temporairement les travaux. *En effet*, les chemins sont tellement boueux qu'aucun camion ne pourrait y passer ; ils s'y enliseraient avant d'arriver au chantier.

4. Locutions prépositives :

Grâce à → présente une cause considérée comme bénéfique :
J'ai trouvé du travail *grâce à* toi.

Sous l'effet de → présente une cause durative, envisagée au moment où elle agit encore :
Philippe tremble *sous l'effet du* choc.

A force de → présente une cause qui se répète ou s'est répétée :
Je suis parvenu à un accord *à force de* pourparlers patients.

Sous prétexte de → présente une cause mise en doute :
Jacques sort *sous prétexte d'*un mal de tête, mais je n'en crois rien.

En raison de → présente souvent une cause portée à la connaissance du public :
En raison de travaux d'adduction, l'eau sera coupée de 8 à 12 heures.

Faute de, à défaut de → présentent une cause privative. C'est par l'absence de l'élément qu'elle désigne que le fait principal se produit :
Nous nous sommes égarés *faute de* plan.

II. L'EXPRESSION DE LA CONSÉQUENCE

Exercice 40

1. Suivez la première consigne de l'exercice 42. Sur ce modèle :

Proposition principale	Locutions	Propositions à relier
Luc a claqué la porte	• parce que • si bien que	- il a cassé une vitre. - il était pressé.
Luc a claqué la porte parce qu'il était pressé, si bien qu'il a cassé une vitre.		

Ensemble A :

Proposition principale	Locutions	Propositions à relier
Catherine aime la musique	• même si • au point que	- elle va au concert chaque dimanche. - on n'interprète pas ses auteurs préférés.

Ensemble B :

Proposition principale	Locutions	Propositions à relier
J'avais réglé le thermostat du four avant de partir	• pendant que • de sorte que	le gigot a cuit à point je faisais mes courses.

Ensemble C :

Proposition principale	*Locutions*	*Propositions à relier*
Un mécanicien perce un petit trou dans une tôle	• de sorte que • avant que • bien que	- l'opération est dangereuse. - on parvient à dégager les corps. - un médecin peut faire une piqûre aux blessés.

Ensemble D :

Proposition principale	*Locutions*	*Propositions à relier*
Des pluies diluviennes s'abattent sur la région	• avant même que • au point que	- le préfet a déclenché le plan ORSEC. - on connaît l'étendue des dégâts.

Ensemble E :

Proposition principale	*Locutions*	*Propositions à relier*
La tempête a abattu trois poteaux.	• si bien que et que • pour que • bien que	- l'E.D.F. a amarré solidement les pylônes. - je n'ai pu t'appeler. - les fils téléphoniques ont été arrachés. - tu viens à mon secours.

2. A présent que vous avez terminé l'exercice, soulignez, dans les phrases complexes que vous avez construites, les locutions exprimant la conséquence.

Exercice 41

Après avoir consulté p. 49-50 la valeur des termes ci-après :
   . ainsi,
   . donc,
   . par conséquent,
   . c'est pourquoi,
   . dès lors,
cherchez celui qui convient pour combler les pointillés des phrases ci-dessous :

1. Vous commandez un magnétoscope à ce commerçant, or ses stocks sont épuisés et son fournisseur est en vacances. Il est ...... fort probable qu'il ne pourra pas vous livrer et que vous risquez d'attendre longtemps.
2. Jérôme n'a pas compris ce qu'on lui demandait ...... il a fait cette erreur.
3. Dans la soirée, on apprenait que direction et syndicats s'apprêtaient à signer un protocole d'accord ...... la reprise du travail était en vue.
4. La pluie avait percé nos sacs à dos et mouillé toutes nos affaires. Nous n'avons donc pu enflammer nos allumettes et ...... envoyer des fusées de détresse.
5. En matière de vente, l'emballage est très important. Il doit accrocher le regard et donner envie d'acheter. Un paquet de riz, par exemple, ne sera pas seulement pourvu de couleurs vives qui attireront l'œil ; il présentera également la paella délicieuse que nous pourrons confectionner avec lui et que nous aurons alors fortement envie de manger.
...... l'emballage ne présente pas seulement un produit, il préfigure en même temps ce que le consommateur pourra en faire. Par là même, il incite à l'achat.

Exprimer la cause
et la conséquence

Exercice 42

1. Dans toutes les phrases suivantes, la proposition subordonnée exprime la cause du fait présenté par la principale. Récrivez la phrase à l'envers de manière que la subordonnée devienne la principale. Choisissez alors une locution conjonctive comportant « que » pour relier la nouvelle proposition principale à la subordonnée.
2. Indiquez si les locutions conjonctives que vous avez employées dans chaque phrase récrite marquent la cause ou la conséquence.

1. Je suis arrivé en retard *parce que* j'ai été pris dans un embouteillage.
1'. J'ai été pris dans un embouteillage ...... je suis arrivé en retard.

2. La pièce paraissait plus grande *parce qu*'on avait enlevé quelques meubles.
2'. On avait enlevé quelques meubles ...... la pièce paraissait plus grande.

3. Quand le match fut fini, j'étais complètement aphone *tant* j'avais crié pendant toute la partie.
3'. J'avais crié pendant toute la partie ...... j'étais complètement aphone quand le match fut fini.

4. Guy état paralysé *parce qu*'il avait extrêmement peur.
4'. Guy avait peur ...... il en était paralysé.
ou
4''. Guy avait ...... peur ...... en était paralysé.

RÉPERTOIRE DES PRINCIPAUX TERMES DE LIAISON EXPLICITANT LA CONSÉQUENCE

1. Locutions conjonctives :

Si bien que → se borne à introduire la conséquence sans nuance particulière :

« Je me suis attardé chez Laurent *si bien que* j'ai manqué mon train. »

De sorte que → est presque le synonyme de « si bien que ». Parfois, cependant, cette locution est préférée à « si bien que » pour indiquer la conséquence d'un geste, d'une manœuvre, c'est-à-dire d'une *façon d'agir* précise :

« On parvint à entrebâiller la lucarne *de sorte que* je pus passer ma main sur le toit, et attraper la tuile branlante. »

Au point que
A ce point que
Si
Tant —— *que*
Tel
Tellement

présentent la conséquence avec intensité, soulignent son importance :

« Des panaches de cendre volaient dans le ciel *au point qu*'ils en obscurcissaient l'horizon. »

« Pierre était *si* ému *qu*'il était incapable de parler. »

2. Adverbes et coordonnants :

C'est pourquoi → se borne le plus souvent à introduire la conséquence sans nuance particulière :

« J'ai fait ce calcul trop rapidement, *c'est pourquoi* je me suis trompé. »

Donc	→	souligne le caractère logique d'une conséquence :
		« Anne veut être infirmière, *or* elle ne supporte pas la vue du sang. Il me semble *donc* qu'elle s'oriente mal. »
Par conséquent	→	introduit souvent la conséquence d'une conséquence :
		« Notre radio de bord était en panne. Nous n'avons *donc* pu contacter le port de Saint-Malo, et *par conséquent* indiquer notre position. »
Dès lors	→	introduit souvent la conséquence d'un fait daté :
		« <u>*Hier matin*</u>, la RN 20 était enfin dégagée. *Dès lors*, les secours pouvaient passer et atteindre la zone sinistrée. »
Ainsi	→	désigne tout ce qui vient d'être dit et en montre la conséquence. Pour cette raison, ce terme s'emploie beaucoup *en fin de paragraphe*.
En conséquence	→	désigne souvent des faits portés à la connaissance du public. Cette locution s'emploie beaucoup dans le langage administratif :
		« Une erreur a été commise dans le libellé de l'épreuve de philologie du CAPES. *En conséquence*, le concours est annulé et reporté à une date ultérieure. »

3. Locutions prépositives :

{*D'où*	→	introduisent une conséquence dont
{*De ce fait*		ils désignent l'origine :
		« Luc a voulu vérifier tous les comptes, *d'où* une perte de temps. »
		« Luc a voulu vérifier tous les comptes. *De ce fait*, nous avons perdu du temps. »

III. L'EXPRESSION DE L'OPPOSITION ET DE LA RESTRICTION

L'opposition

Exercice 43

Les conjonctions « mais » et « or » ont l'une et l'autre de multiples valeurs. L'une d'elles consiste à exprimer l'opposition ; les deux conjonctions ont donc cette valeur commune. Cependant, « or » a la propriété de souligner plus que « mais » l'opposition. Pour cette raison, il s'emploie souvent dans le cours d'un raisonnement. Connaissant cette information, choisissez entre « mais » et « or » pour combler les pointillés des phrases suivantes :

1. Anne voudrait que je lui fasse visiter le musée ...... je n'en ai pas le temps.
2. A 15 heures 30, Anne déclara qu'elle voulait visiter le musée ...... celui-ci fermait à 16 heures. Il était donc tout à fait déraisonnable d'envisager de s'y rendre.
3. Vous fondez votre argumentation sur le taux de déperdition d'énergie dans l'entreprise, ... celui-ci est dans l'ensemble assez faible. Je crains donc que votre thèse ne soit récusée.
4. La déperdition d'énergie est certaine, ... elle est faible.
5. Je ne me fâche pas, ...je ne suis pas content.
6. Je ne me fâche pas, ... je suis mécontent. Vous conviendrez donc que je fais preuve de patience.

La restriction

Exercice 44

1. Dans le paragraphe suivant, des termes de liaison ont été effacés. Certains servent à jalonner *le cours du raisonnement (enchaînement d'arguments, infléchissement du cours du raisonnement) ; ils sont représentés par ce signe :* ▭ .

D'autres manifestent la présence de <u>liens logiques</u> *entre des propositions (cause, opposition, etc...) ; ils sont représentés par ce signe :* ...... *Les termes effacés figurent dans l'encadré ci-dessous : essayez de les replacer dans le texte.*

2. Parmi les termes de liaison que vous avez employés, relevez deux mots marquant l'<u>opposition</u>.

3. Cherchez des synonymes qu'on pourrait substituer à « pourtant ».

Jalons :	*Liens logiques :* ......
de plus, pourtant, d'a-bord, enfin	en effet, par exemple, or, donc

Depuis les temps les plus lointains, les hommes ont extrait des plantes des substances qui soulagent la douleur. Consommées à fortes doses, certaines procurent même des sensations de plaisir, ... l'opium tiré du pavot ou le hachisch tiré du cannabis. [＿＿＿] , ces substances ne sont pas sans danger : [＿＿＿] , les sensations de bien-être qu'elles procurent ne sont que temporaires. Ceux qui les consomment éprouvent rapidement le caractère éphémère de l'euphorie qu'ils ressentent. Ils désirent ...... prendre de nouvelles doses, et deviennent dépendants à l'égard du produit.

[＿＿＿] , la surconsommation de ces substances est nocive. ...... la drogue amoindrit les réflexes et la mémoire en <u>même</u> temps qu'elle altère les fonctions hépatiques. [＿＿＿] , elle désociabilise l'individu, en le cantonnant dans son rêve, lui enlevant l'envie de s'insérer dans la société. ......, à une époque où le chômage sévit et où les conditions de vie deviennent dures, il est extrêmement dangereux de se désociabili-ser, car les gens sont généralement sans complaisance pour les inadaptés. Dans ces conditions, il n'est pas étonnant que la libre circulation des stupéfiants soit quasiment interdite dans tous les pays, et que l'on assiste même à une solidarité internationale des polices pour lutter contre elle.

RÉPERTOIRE DES TERMES DE LIAISON EXPRIMANT L'OPPOSITION

1. Locutions conjonctives :

{ *Bien que,*
quoique } → marquent l'opposition sans nuance particulière :
Nous prenons la route, *bien qu*'il neige.

{ *Quoi que,*
quel que,
quelque que } → marquent une opposition absolue :
« J'accomplirai cette démarche *quoi qu*'on dise. »
« J'atteindrai mon but *quel qu*'en soit le prix. »
« J'atteindrai mon but *quelque* obstacle *qu*'on mette sur ma route. »

2. Conjonctions de coordination :

Mais → marque l'opposition ou la restriction :

opposition : « On me dit que Pierre s'est appliqué, *mais* il n'y paraît pas. »

restriction : « Pierre s'est appliqué, *mais* il peut encore progresser. »

Or → souligne plus que « mais » l'opposition et s'insère souvent pour cette raison dans le cours d'un raisonnement :
« Vous voulez limiter la consommation, *or* vous incitez à l'achat. Vous n'êtes donc pas logiques. »

3. Adverbes :

{ *Pourtant,*
cependant,
néanmoins,
toutefois } → infléchissent le cours d'un raisonnement en marquant l'opposition :
« Cet appareil a d'incontestables avantages. *Pourtant*, il n'est pas sans défaut. »

IV. LES PRÉPOSITIONS

Choisir les prépositions adéquates

Exercice 45

Dans les phrases suivantes, cherchez la préposition adéquate pour combler les pointillés :

1. Luc rêve ...... agrandir notre club.
2. Luc déraisonne en ce moment ; il rêve ...... des projets mirifiques.
3. La principale difficulté réside ...... le choix du terrain.
4. Le magasin regorge ...... victuailles.
5. Valérie évolue. Elle s'ouvre ...... des idées nouvelles.
6. Se taire équivaudrait ...... être complice d'une lâcheté.
7. Je m'occupe ...... régler ce problème tout de suite.
8. Les enfants sont sages ; je les ai occupés ...... faire un puzzle.
9. Jean proteste ...... son innocence.
10. L'enquête a abouti ...... un non-lieu.
11. On ne peut inclure cette remarque ...... le compte rendu.
12. On ne peut exclure cet homme ...... notre association.
13. Il est difficile de concilier la poursuite des études ...... le sport professionnel.
14. Laurence a fait preuve ...... une grande délicatesse ...... moi.
15. Il faut être bon ...... ces animaux.
16. Finalement, j'ai opté ...... un mini-magnétoscope.
17. Philippe a des torts ...... moi.
18. Tu ne peux pas comparer ce monument ...... cet autre ; ils n'ont pas le même usage.
19. Je continue ...... espérer que tu viendras.
20. Les circonstances nous ont contraints ...... agir ainsi.

V. LA PONCTUATION

Maîtriser la ponctuation

Exercice 46

Recopiez le texte suivant en le ponctuant à l'aide de ces signes :
|,| (2 fois) |.| (3 fois) |:| (1 fois) |;| (1 fois)

en briquettes roses et grès des Vosges la façade était ravissante quant au dedans du magasin il étincelait tout y brillait les étagères chromées lançaient des lueurs d'argent la verrerie et les cristaux allumaient mille étoiles d'or

Exercice 47

Recopiez le texte suivant en le ponctuant à l'aide de ces signes :
|,| (3 fois) |.| (3 fois) |:| (1 fois) |;| (1 fois) |?| (1 fois)

combien de temps faut-il pour faire un bon tennisman cela dépend de plusieurs facteurs les aptitudes du joueur son état de santé le temps dont il dispose pour s'entraîner il faut aussi tenir compte du professeur son rôle n'est pas négligeable de façon générale on peut dire qu'il faut deux ans de pratique assidue pour bien jouer

Exercice 48

Recopiez le texte suivant en le ponctuant à l'aide de ces signes :
|,| (2 fois) |.| (3 fois) |?| (1 fois) |...| (1 fois)

la vulgarisation des magnétoscopes va décupler l'influence des média en effet tout message diffusé par la télévision sera désormais reproduit à des milliers d'exemplaires et réécouté de ce fait son influence ira croissant ne va-t-on pas ainsi vers une dictature des média c'est un vaste sujet de réflexion

Exercice 49

Recopiez le texte suivant en le ponctuant à l'aide de ces signes :
|,| *(1 fois)* |.| *(2 fois)* |...| *(1 fois)* |?| *(1 fois)*

sans nouvelles de Françoise je m'arme de patience je n'écris ni ne téléphone j'attends iras-tu la voir en avril.

Exercice 50

Pour chacun des signes de ponctuation ci-joints : |;| |...| |:|,
l'exercice ci-dessous propose deux valeurs d'emploi. Indiquez laquelle vous semble la bonne :

Le point-virgule :

  a) Il sépare deux propositions qui n'ont rien de commun.

  b) Il sépare deux propositions de moyenne étendue qui font partie d'un même ensemble.

Les points de suspension :

  a) Ils suggèrent, donnent à penser, et par là même fortifient la portée de ce qui vient d'être exprimé.

  b) Ils élucident le texte en introduisant une proposition qui explicite ce qui vient d'être dit.

Les deux points :

  a) Ils créent dans le texte une interruption après laquelle il y a un changement de thème.

  b) Ils introduisent une proposition qui explicite ou commente ce qu'a exprimé la proposition précédente.

Corrigés

Le texte argumenté

Exercice 1

1. Nous devons protéger la nature pour sauver l'homme de lui-même. Nous devons protéger la nature pour sauvegarder la faune et la flore. Nous devons protéger la nature pour préserver son authenticité, sa poésie et sa paix vivifiante.

2. « Et d'abord » → Quand un raisonnement est constitué d'une suite d'arguments allant dans le même sens, *le premier* est introduit par *« d'abord »*, ou par ses synonymes : *« En premier lieu »*, *« Premièrement »*. (*« D'abord »* est parfois précédé par *« et »* ou *« tout »*, *« Et d'abord »*, *« Tout d'abord »*.)

3. « En outre » → Ce terme relie un argument à un autre. Il a des synonymes : *de plus, par ailleurs, de surcroît, ensuite, encore.*

4. « Enfin » → Ce terme introduit le dernier argument et marque, par conséquent, la fin du raisonnement.

5. *« Donc »* → (… « c'est *donc* en premier lieu accomplir une tâche d'hygiène planétaire). Parmi les nombreux termes qui peuvent marquer la conséquence, *« donc »* est particulièrement argumentatif.

6. « Ainsi » → (… « et qu'*ainsi,* peu à peu, s'appauvrisse le somptueux et fascinant musée », etc.). Ce qui est dit de *« donc »* en 5 prévaut également pour *« ainsi »*. Ce terme engage souvent la conclusion d'un paragraphe.

Exercice 2

1. Partie ① : *d'abord* → Ce terme introduit la première cause.

Partie ② : *ensuite* → Ce terme introduit la deuxième cause, et établit une liaison entre cette cause et la précédente. (L'auteur a employé *« ensuite »*, mais on pourrait tout aussi bien employer ses synonymes : *encore, en outre, de plus, par ailleurs,* etc…)

Partie ③ : *enfin* → Ce terme introduit la dernière cause et la relie aux précédentes.

2. L'article s'élabore comme s'est élaboré le match. Il s'articule en trois parties, qui présentent chacune une cause de la victoire algérienne :

Cause 1 : Le complexe de supériorité des Allemands a suscité une réaction de fierté chez les Algériens.

Cause 2 : L'intelligence de jeu des Algériens a prévalu sur la force des Allemands.

Cause 3 : Les Algériens ont adopté une tactique astucieuse, qui a permis de pallier leurs faiblesses et de contenir les buteurs allemands.

3. _Comme si_.

4. _Notamment_ (... « sachant que les arrières allemands, _notamment_ Kaltz et Briegel, sont de redoutables contre-attaquants... »). Pour introduire des exemples, on peut utiliser les termes « _ainsi_ » ou « _par exemple_ » : mais si l'on veut insister sur l'exemple choisi, souligner son importance, on utilise plutôt « _notamment_ » ou « _en particulier_ »/« _particulièrement_ ».

Exercice 3

1. et 2. La conclusion indique l'ordre de succession des paragraphes. Comme il est conseillé en dissertation, on suit _un crescendo_, allant de l'argument le moins important à celui qui est prioritaire :

a) Sauvegarde de l'attrait du voyage → _Paragraphe 3 (... « on protège l'attrait du voyage »...)._

b) Protection du bien commun → _Paragraphe 2 (... « on défend le bien commun »...)._

c) Sauvegarde des vies humaines → _Paragraphe 1 (... « on défend l'homme contre lui-même »...)._

3. a) _En premier lieu_, ou _premièrement_, ou _tout d'abord_, on défend l'homme contre lui-même.

b) _Par ailleurs_, ou _de plus, de surcroît_, ou _deuxièmement_, on défend le bien commun.

c) _Enfin_, ou _troisièmement_, ou _en dernier lieu_, on protège l'attrait du voyage.

4. _En effet_ → Ce terme marque la cause, quand on s'attache à prouver le bien-fondé de ce qu'on vient d'affirmer.

Exercice 4

1. Mots annonçant le thème du texte : « _le cancer du poumon_ ». Mots annonçant ce qui sera dit du thème : « _les relations existant entre ce type de cancer et l'habitude de fumer_ ».

58

2. L'introduction a pour fonctions essentielles de poser clairement le sujet et d'annoncer le plan qu'on va suivre.

3. *Paragraphe 1* →   *d'abord*
   Paragraphe 2 → $\begin{cases} a) & \underline{aussi} \\ b) & \underline{Là~encore} \end{cases}$
   Paragraphe 3 → $\begin{cases} a) & \underline{Enfin} \\ b) & \underline{alors.} \end{cases}$

4. *En fait*.

Exercice 5

1. Introduction donnée au texte par le journaliste :
Pour un joueur de football professionnel, de quelque pays qu'il soit, participer à la Coupe du monde représente une bonne affaire financière. Il y a à cela plusieurs causes :

2. Paragraphe 1 → *d'abord*, ou « *en premier lieu* », « *premièrement* » ;

   Paragraphe 2 → *ensuite*, ou « *en outre* », « *de plus* », « *par ailleurs* », etc. ;

   Paragraphe 3 → *enfin*.

3. Terme introduisant la conclusion : *bref*.

4. Fonctions de cette conclusion : a) Elle *résume* ce qui a été développé ; elle montre le point de convergence des arguments employés, c'est-à-dire le fait dont ils ont démontré l'exactitude. b) Elle *ouvre le sujet* en montrant comment il pourrait évoluer à l'avenir : « *Reste à savoir si, à la longue, l'argent ne tuera pas l'esprit de la compétition.* »

Exercice 6

Reconstitution du texte :
Introduction   → *Q*
Développement → *T* (Ce paragraphe est introduit par « *Et d'abord* », qui marque la présentation du *1ᵉʳ* argument.)

                       H (Ce paragraphe est introduit par « *Par ailleurs* », qui marque l'adjonction d'un *nouvel* argument.)

                       Z (Ce paragraphe est introduit par « *Ces possibilités de contacts*, groupe de mots qui se réfère à ce qui a été exprimé en *H*.)

                       B (Ce paragraphe est introduit par « *Enfin* », qui marque l'insertion du *dernier* paragraphe.)

<u>*Conclusion*</u> → *G* (Ce paragraphe est introduit par l'expression : «*Pour <u>toutes ces</u> raisons*», qui désigne ce qui a été dit et marque, par conséquent, la conclusion.)

Exercice 7

1. «<u>*Pourtant*</u>» → Ce terme marque toujours un infléchissement dans le cours du raisonnement. Il indique que l'auteur va apporter une restriction, ou une opposition, à ce qu'il vient d'exprimer.

2. «<u>*Voire*</u>» → («On reproche à la publicité d'informer mal, *voire* de tromper».) Ce terme est l'équivalent de : «*peut-être même*»; il désigne l'extension possible que pourrait avoir un fait.

3. «<u>*En tout cas*</u>». La valeur globale de «*tout*», inclus dans cette expression, montre bien qu'on généralise et qu'on en arrive à conclure.

Exercice 8

1. Paragraphe 1 → <u>*d'abord*</u> (Ou : *Et d'abord/tout d'abord/en premier lieu*.)

Paragraphe 2 → <u>*de plus*</u> (Ou : *En outre/par ailleurs/ensuite,* etc.)

Paragraphe 3 → <u>*enfin*</u> (Ce terme introduit le dernier argument qui milite <u>*en faveur de*</u> la ceinture.)

Paragraphe 4 → a) <u>*Pourtant*</u> (Ou : *Cependant/toutefois/néanmoins*.) Ce terme marque un infléchissement dans le cours du raisonnement, et annonce une suite d'arguments <u>*défavorables*</u> à la ceinture.

b) <u>*D'une part/d'autre part*</u> (... «<u>*d'une part*</u>, elle bloque parfois le conducteur..., <u>*d'autre part*</u>, il arrive qu'elle engendre des fractures de l'épaule»). L'auteur annonçant que les détracteurs de la ceinture lui reprochent essentiellement <u>*deux*</u> choses, l'emploi d'une <u>*phrase binaire*</u>, s'articulant autour de «*d'une part/d'autre part*», est particulièrement bienvenu.

Conclusion → <u>*En tout cas*</u> (ou «*de toute façon*»).

60

Exercice 9

1. *Pourtant* → Le raisonnement subit un infléchissement à ce passage. L'auteur s'était attaché jusqu'alors à montrer l'importance que prend dans nos sociétés l'attachement au terroir ; il s'efforce de montrer à présent que cet attachement, pour ample qu'il soit, ne remet pas en cause le sentiment de l'unité nationale. Ce changement de thème, et cette opposition entre ce qui est : « la sauvegarde de l'unité nationale », et ce qui aurait pu être : « sa remise en cause », réclament l'emploi de : « *pourtant* » (ou de « *cependant/toutefois/néanmoins* »).

2. *Introduction* : *Thème* → « *L'attachement au pays natal* ». Ce qui va être dit du thème → « *... se manifeste de diverses façons* ». Ce groupe de mots annonce en quelque sorte le plan du texte, car l'on sait à présent que le texte se composera de plusieurs parties dont chacune présentera une « *façon dont se manifeste l'attachement au terroir* ».

3. *Termes de liaison* : *En premier lieu, en second lieu, en dernier lieu* (ces termes sont synonymes de : *d'abord/ensuite/enfin*).

4. *Mini-conclusion de la 1re partie* → *Paragraphe 4* : Pour donner à ce paragraphe l'aspect d'une conclusion, l'auteur emploie divers procédés : 1) Il reprend le sujet du texte : « *Cet attachement au terroir* ». 2) Il marque par « *donc* » qu'il conclut. 3) Il élargit son sujet en montrant qu'il concerne toutes les couches de la population. Il est souvent fécond de terminer une première partie par une mini-conclusion, avant de passer à une partie oppositive introduite par « *pourtant* », ou « *toutefois* », « *cependant* », « *néanmoins* ».

5. *Résumé du texte* : On assiste actuellement à un renouveau de l'attachement au terroir. Les gens défendent la langue et le patrimoine culturel de leur région, en même temps qu'ils en restaurent les fêtes. Cela n'altère pas le sentiment de l'unité nationale. Celle-ci procède au contraire des mêmes faits : réactions contre les « mutations, et le gigantisme croissant de notre monde ». (Rappelons que le résumé doit : 1) Respecter le cours du texte. 2) En restituer l'essentiel de façon structurée (ne pas se contenter de recopier des phrases du texte en les superposant). 3) Être fidèle à ce qu'a dit le texte ; ne pas le dénaturer. 4) Respecter le format demandé ; ici : 70 mots.

Exercice 10

1.

Appréciations favorables au travail	Appréciations défavorables au travail
A T R	Z H F U

2. L'appréciation « F » qui fait allusion aux « aspects positifs » du travail implique que ceux-ci aient déjà été énoncés, et sert donc de phrase de transition entre les deux parties. Il faudrait l'introduire par l'un ou l'autre des termes suivants : *cependant, pourtant, toutefois, néanmoins.*

3. 4.

Aspects positifs du travail	Aspects négatifs
d'abord A en outre R enfin T	d'abord H par ailleurs Z enfin U

(Le « T » est évidemment l'argument le plus important, puisque l'auteur précise qu'on ne pourrait à défaut de travail s'insérer dans la vie sociale. Le « R » l'emporte en importance sur le « A », puisque le travail y fait plus que garder de l'ennui : il donne la joie.)

(Le « U » est de loin l'argument le plus important, puisque parlant de « *déshumanisation* », il met en cause toute la personne. Par l'adverbe « *excessivement* », le « Z » l'emporte en importance sur le « H ».)

5. *Introduction possible*
Stimulus : Réduire la durée du travail, créer du travail, réorganiser le travail, voilà des thèmes dont l'actualité se nourrit depuis des années. C'est dire que le travail occupe une place importante dans la vie et suscite la préoccupation constante de l'améliorer. Pourquoi ? Est-il nécessaire au bonheur des hommes, et n'a-t-il pas encore atteint sa forme idéale ?
Énoncé du sujet : Autant de

Conclusion possible
Synthèse : Le travail porte donc en soi la capacité à répondre aux aspirations fondamentales de l'homme : s'occuper, créer, s'assumer. Cependant, les civilisations, et particulièrement la nôtre, l'ont souvent détourné de cette finalité, lui donnant un aspect inhumain.
Ouverture : On comprend donc le souci constant des sociétés de tendre vers une amélioration du travail jus-

questions qui méritent analyse. Nous nous efforcerons donc de discerner la valeur qu'il convient d'accorder au travail aujourd'hui.

Annonce du plan : Pour ce faire, nous dégagerons les aspects positifs du travail, puis nous mettrons en évidence les carences qu'il peut avoir.

qu'à atteindre sa forme idéale. Tant que celle-ci ne sera pas élaborée et mise en œuvre, les maux du travail continueront à se développer comme des chancres aux flancs de la vie sociale : chômage, productions médiocres et conflits sociaux.

Le paragraphe

Exercice 11

1. *Paragraphe commentant un fait* → *Paragraphe 3*
Le fait est un événement incontestable. On n'a pas à prouver sa vérité : il s'est déjà produit, ou se produira de façon indiscutable : ainsi, il est indubitable qu'un « jeune maître d'école allemand a fondé les auberges de jeunesse ». On peut seulement commenter un fait, c'est-à-dire indiquer ses causes, ses conséquences, ou l'illustrer par des exemples.

Paragraphe développant une idée → *Paragraphe 1*
L'idée est une affirmation dont il faut prouver la pertinence. Ainsi, lorsque François de Closets affirme que « notre conception du travail est réellement aberrante », il faut qu'il prouve ensuite la justesse de ce qu'il a avancé. On remarque d'ailleurs dans ce paragraphe la présence de nombreux termes d'articulation à valeur démonstrative : « plus/moins », « ainsi », « puisque », « en revanche », « donc », « aussi », « alors que ».

Paragraphe répondant à une question posée → *Paragraphe 2*
Ce type de paragraphe est proche du précédent, car l'on répond souvent à une question posée en avançant une idée. On s'attache ensuite à démontrer la pertinence de cette dernière. Ainsi, lorsqu'on dit : « A quoi sert un chercheur ? Avant tout à satisfaire un besoin de l'homme : celui de comprendre le monde dans lequel il est plongé... », cela revient à dire : « Un chercheur sert avant tout à satisfaire

un besoin de l'homme : celui de comprendre le monde, etc. », idée dont il faut ensuite démontrer la vérité.

2. Chacun de ces paragraphes est *monolithique* : il forme un tout, mis au service de l'élément majeur énoncé en tête de paragraphe, c'est-à-dire le fait, l'idée ou la question posée. Il faut en effet éviter de morceler le développement d'une idée ou d'un fait. Sa présentation en un seul paragraphe facilite la lecture, et sert l'argumentation en lui donnant l'apparence de la force et de la cohésion.

3. *Termes marquant l'opposition* : *en revanche* (il oppose l'éboueur au directeur commercial), *alors que* (cette locution oppose les faits suivants : on manque de travailleurs manuels/de nombreux jeunes gens sont inemployés).
Termes marquant la conséquence : donc, aussi.

4. *Ordre de succession des éléments du commentaire :* 1) naissance du fait. 2) Extension du fait. 3) Modalités d'existence du fait dans le passé. 4) Modalités d'existence du fait actuellement.

Exercice 12

1. Énoncé du fait : « En 5 ans, le nombre des appels téléphoniques reçus par S.O.S. Amitié a doublé. »

2. Éléments utilisés par l'auteur pour développer le fait :

Personnages	Causes	Manière
appelants	. dépression	. communication
. adolescents	. solitude	téléphonique
. femmes	. problèmes	
mariées, etc.	relationnels	
écoutants		
. personnes		
d'origines		
diverses		

Conséquences	Perspectives
. solidarité	. S.O.S. Amitié continuera
. soutien dans	d'exister à l'avenir
les pires moments	(« Il y aura encore
	des personnes disposées
	à écouter, etc. »)

. Seul l'élément : *« Opposition au fait »* n'a pas été développé par l'auteur, très certainement parce qu'il n'existait pas.

Exercice 13

Les causes de ce phénomène sont plurales. *D'abord*, les dernières années écoulées ont vu se mettre en place une véritable démocratisation du tennis. De nombreuses communes ont fait aménager des courts municipaux, tandis que dans les C.E.S. et les écoles des professeurs d'éducation physique enseignaient le tennis à leurs élèves. Ces doubles mesures ont eu pour effet de faire connaître un sport jusqu'alors réservé à une élite sociale, d'en donner le goût, mais aussi d'en abaisser le coût. *Par ailleurs*, la télévision a puissamment contribué à développer le tennis de masse. On peut dire qu'elle a fait connaître le tennis, en même temps qu'elle l'a glorifié. Cela s'est opéré à travers les retransmissions des prestigieux tournois mondiaux : Roland-Garros, Wimbledon, Flushing Meadows. Ces noms, naguère connus que de rares initiés, sont aujourd'hui passés dans le grand public. *Enfin*, les courts de tennis se sont multipliés dans divers secteurs de la vie sociale : clubs et campings de vacances, hôtels, clubs sportifs locaux, équipements sportifs communaux, etc. Trouver un court où jouer n'est plus un problème aujourd'hui. *Pour toutes ces raisons*, le tennis connaît une vulgarisation sans précédent dans son histoire. Elle est probablement irréversible.

Exercice 14

Dans leur ensemble, les adolescents se plaisent à la pratique du sport. Il est aisé d'en saisir les raisons. D'abord, le jeu sportif permet une évasion facile à cause de l'attention qu'il réclame et qui délivre l'esprit de ses préoccupations. Ses règles dispensent, par ailleurs, d'invention personnelle. Il suffit de les observer. Enfin, le sport réalise le rêve, présent à chacun, de la force physique et de l'épanouissement corporel, source d'admiration de la part d'autrui, et donc de fierté personnelle.

G. Avanzin,
in «Pratique de l'expression française orale et écrite».
R. Besson, Éd. Castella, 1975.

Exercice 15

Énoncé du fait : « Le phénomène de dénatalité s'accentue dans les pays occidentaux. »

Exercice 16

1. *Énoncé du fait :* « De plus en plus, les jeunes vivent en couple sans être mariés. »
2. *Termes d'articulation :* « d'abord »/« autre » (l'incertitude des jeunes est une <u>autre</u> cause de changement)/« enfin ».
3. *Terme conclusif :* « ainsi ».

Exercice 17

1. L'auteur commente le fait au moyen d'*exemples*.
2. Phrase exprimant la cause : « On ne roule pas impunément roue contre roue à plus de 200 km/heure. »
3. Termes marquant la succession chronologique des faits : *après/plus près de* nous/*peu après/auparavant* (quelques années auparavant)/*du plus loin que*.

Exercice 18

Énoncé du fait : « La publicité conditionne le consommateur. »

Exercice 19

1. *Les jeunes aiment l'aventure alors que les adultes ne s'y risquent plus. En effet, il est dans la nature de la jeunesse d'aimer le changement* et de refuser de se figer dans un statut définitif. C'est que la jeunesse est un état provisoire : l'être humain n'y a pas encore atteint la plénitude de ses ressources. Il est donc en métamorphose continuelle, et ressent par conséquent le besoin fréquent de changer. Or, le changement

implique souvent l'inconnu, c'est-à-dire l'aventure. *Par ailleurs, l'aventure se pare aux yeux des jeunes d'une incontestable séduction.* Qu'elle prenne l'aspect du Far West ou du Grand Nord, du hippie ou du jeune docteur de «Médecins sans frontières», elle a un halo romantique qui attire, et ne peut qu'embellir celui qui l'épouse. Elle est, en somme, la chevalerie éternelle. Or, de Bayard à d'Assas, les chevaliers n'étaient pas vieux ; la jeunesse étincelait sous leur cuirasse. *Voilà pourquoi les jeunes aiment l'aventure. Les adultes, en revanche, répugnent à s'y risquer.* Ils ont construit leur personnalité et ont acquis un statut social définitif. Le plus souvent, ainsi, ils se sont ancrés dans une cellule familiale. Ils se sentent bien dans cette stabilité, et n'aspirent qu'à s'y laisser vivre. Ils redoutent donc tout ce qui pourrait la menacer, et en premier lieu l'inconnu. *Ainsi, jeunes et adultes ont* un comportement très différent à l'égard de l'aventure. Cette dissemblance n'est qu'un élément de tout ce qui sépare la personnalité inachevée d'un adolescent du personnage accompli qu'est l'adulte. (On remarquera que l'auteur utilise uniquement les _causes_ du fait pour commenter ce dernier.)
2. «*Alors que*» → Ce terme, comme «*en revanche*»/«*au contraire*», marque qu'un élément est l'opposé d'un autre. Il crée par conséquent dans un texte un effet de contraste.
3. a) «*Par ailleurs*» *(Par ailleurs, l'aventure se pare, etc.).*
b) «*Voilà pourquoi...*» («*Voilà*» désigne toujours un ensemble d'informations qui vient d'être donné, alors que «*voici*», à l'inverse, introduit des informations : «*voici* ce que j'ai à vous dire :...».)
c) «*En revanche*» (... Les adultes, *en revanche*, répugnent à s'y risquer).
d) «*Ainsi*». (On remarquera une fois encore que ce terme introduit la conclusion d'un paragraphe.)

Exercice 20

23 A

La vie en ville crée l'anonymat
Les gens qui passent dans les rues ne se connaissent pas. En se voyant, ils imaginent mille choses les uns sur les autres : les rencontres qui pourraient se produire entre eux, les conversations, les surprises, les caresses, les coups de dents. Mais personne ne salue personne. On est trop nombreux.

Italo Calvino, «Villes invisibles»,
Le Monde du 22 mars 1978.

La vie en ville est une fête quotidienne
La fête éclate certes dans les villes lors de leurs carnavals. Mais chaque jour se donne aussi une fête secrète : les surprises de la rue, les rapprochements insolites, les mouvements multiples, les rencontres possibles et jamais achevées, les rêves croisés. Le feu d'artifice des relations humaines !

M. Champenois, *Le Monde* du 22 mars 1978.

Exercice 21

1. *Démonstration au moyen d'exemples* → Il s'agit du _Paragraphe B_ : Les nombreux exemples qui y sont donnés : la mort de Napoléon, les premiers pas de l'homme sur la lune, la guerre d'Algérie, mai 1968, sont des faits ayant réellement existé et sur lesquels, par conséquent, on peut prendre appui pour prouver la véracité de ce qu'on dit. Ainsi, la démonstration par l'exemple consiste à choisir, dans le passé ou le présent, des faits suffisamment pertinents et connus du lecteur pour prouver la justesse de l'idée énoncée. On remarquera que le paragraphe se termine par une phrase qui ramène bien le texte à l'idée formulée au début du paragraphe : « _Ainsi l'information_ sur les ondes, par son _instantanéité_, ne _modifie_ plus seulement la suite, mais _la nature même de l'action qu'elle annonce._ » Les exemples étant du domaine du concret, il est bon de revenir ensuite à l'abstrait, c'est-à-dire à l'idée énoncée, au moyen d'une phrase qui conclut. On remarquera que celle-ci est engagée par *« ainsi »*.

Démonstration par l'anecdote → _Paragraphe C_ : Ce paragraphe met en scène un personnage _fictif_ : Pierre. Le processus consiste alors à faire vivre le personnage dans un contexte repésentatif d'une situation de vie bien réelle. A travers l'activité et la décision de Pierre, puis les conséquences de cette décision, on voit ainsi se déployer une situation qui pourrait fort bien se produire dans la vie ; or, cette historiette illustre bien l'influence qu'ont les média sur un événement, c'est-à-dire ce qu'exprime l'idée formulée en tête de paragraphe. On remarquera que ce dernier se termine par une phrase qui ramène à l'idée : « L'information, par son instantanéité, a modifié l'événement même dont elle vient de rendre compte. » Comme dans la démonstration par l'exemple, il est fortement conseillé de procéder ainsi quand on démontre par l'anecdote. En effet, celle-ci est du domaine narratif ; or elle est employée aux fins de démontrer, c'est-à-dire avec une intention logique. Il est donc bon de la relier soigneusement à l'idée en fin de paragraphe.

Démonstration par l'argumentation → *Paragraphe A* : Le texte est ici constitué d'une série d'arguments reliés entre eux par de nombreux termes de liaison : *D'autre part : ainsi/en ce cas/alors/ainsi*. La démonstration par l'argumentation implique donc l'emploi et la maîtrise de nombreux termes de liaison manifestant la présence de liens logiques entre les phrases. On remarquera que la phrase qui conclut est engagée par « *ainsi* » (« Et c'est *ainsi* que l'information, etc. »).

2. Termes de liaison : a) « d'autre part » ; b) « ainsi » (deux fois employé).

Exercice 22

1. Le procédé employé est *l'anecdote* : la jeune secrétaire est un personnage fictif, mais la façon dont elle vit est représentative de celle de ses contemporains.

2. *Généralisation* : « Alentour d'elle, *des centaines de Français souffrent du même mal...* » Après une démonstration par l'anecdote, il est bon de généraliser pour montrer que le personnage mis en scène est représentatif d'un fait bien réel. La démonstration n'en est que plus persuasive, et la pertinence de l'idée d'autant plus établie.

3. *Vocabulaire* :

adverbes	*verbes*
hâtivement	dévaler
promptement	parcourir
vite	

adjectifs	*noms*
vif, trépidant	(même) cadence, densité
rapide, pressé, alerte	hâte, précipitation

Conclusion : On peut développer une idée en employant, dans le paragraphe qui la commente, le vocabulaire impliqué par son thème. Mais il faut en ce cas varier l'emploi des mots, utiliser des termes de différente nature (verbes, noms, adjectifs, adverbes, etc.) et des synonymes (ex. : hâte/précipitation — rapide/alerte).

Exercice 23

Suite possible du paragraphe :
Rapidement, il enfreint les limitations de vitesse et ne respecte pas les passages pour piétons. Le voici sur l'autoroute. Son regard consulte nerveusement le rétroviseur, car il ne supporte pas d'être doublé. Il change de file, slalome dangereusement entre des véhicules pour rattraper une voiture qui a osé le dépasser. Il klaxonne, fait des appels de phares, vitupère, et exécute finalement le dépassement convoité mais risqué. A présent, il quitte l'autoroute et s'engage sur une voie secondaire. Elle est déserte et calme. Monsieur Six se détend, lève le pied de l'accélérateur et se prend à écouter la radio. Son agressivité a disparu, car il se sent maître de la route à présent. Ainsi, cet homme paisible, qui entretient dans la vie courante de bonnes relations avec les autres, ne les supporte plus quand il est au volant. Il les ressent alors comme des gêneurs ou des rivaux, ce qui le rend agressif et imprudent. Nombre d'automobilistes sont hélas à sa ressemblance. Les études de la sécurité routière le montrent bien : la voiture peut modifier totalement le comportement de l'individu le plus calme.

Exercice 24

1. L'auteur emprunte ces exemples à trois secteurs de vie : *la mode, la famille, la politique.*
2. *Termes qui introduisent la phrase qui conclut :* « On le voit. »
3. *Fonction des groupes nominaux :* ils résument ce qui a été dit, et notamment les causes du besoin de changer qu'éprouve la jeunesse.

Exercice 25

Les exemples ne manquent pas pour poursuivre l'idée :
. *la pratique d'un sport ou d'un jeu,*
. *la conduite d'un engin,*
. *la maîtrise d'un art,* etc.

Exercice 26

1. L'auteur développe par l'argumentation. La présence de nombreux termes de liaison le montre bien (*par ailleurs, encore, enfin,* etc.).

2. <u>Élément 1</u> : Les techniques évoluent. modifiant les métiers.

<u>Élément 2</u> : Certaines professions disparaissent. d'autres se créent.

<u>Élément 3</u> : L'adaptation aux professions nouvelles requiert une capacité au changement.

<u>Élément 4</u> : Le caractère mondial des entreprises entraîne souvent des mutations professionnelles.

<u>Élément 5</u> : L'aptitude au changement n'étant guère inhérente à la nature humaine. il convient de l'acquérir dès la jeunesse par une formation appropriée.

3. <u>Termes de liaison</u> :

Cause	*Conséquence*	*Opposition*
. en effet	. au point de	. à l'inverse
	. dès lors	. au contraire
	. si bien que	
	. dès lors	
	. donc	

4. « Or » <u>souligne</u> toujours l'importance d'un rapport entre deux éléments : faits, arguments, etc. Ce rapport est souvent de concordance ou d'opposition. Il est d'opposition dans la phrase extraite du paragraphe.

Exercice 27

Bien vieillir est le souhait légitime de chacun de nous, mais les chances d'y parvenir ne sont pas les mêmes pour tous. <u>Déjà</u>, le cadre supérieur a une espérance de vie plus grande que celle de l'ouvrier, sa vie professionnelle s'étant déroulée dans un contexte moins fatigant. Ce même cadre, <u>de surcroît</u>, de par sa situation financière, peut agrémenter sa retraite d'activités enrichissantes que l'ouvrier ne peut guère se permettre : voyages, abonnements à des revues, etc. A <u>ces</u> inégalités sociales <u>s'ajoutent</u> les inégalités biologiques. <u>En effet</u>, les années agissent différemment sur chacun d'entre nous, les organes des uns vieillissant plus vite que ceux des autres.

L'hérédité entre également en jeu en ce domaine, ralentissant le processus de vieillissement dans certaines familles, l'accélérant chez d'autres. Enfin, l'âge a moins d'effet sur la femme que sur l'homme, ce fait étant lié au terrain hormonal. Ainsi, les chances d'une vieillesse heureuse dépendent de nombreux facteurs, variables selon les êtres, et ne sont donc pas égales pour tous.

Exercice 28

1. Idée énoncée par l'auteur : « *Un homme qui perd son emploi se déstabilise rapidement.* »
Mais on pourrait énoncer cette idée d'une autre façon : « *Le chômage déstabilise un homme rapidement* », ou se satisfaire d'une idée de ce genre : « *Un chômeur ne peut jamais être heureux.* »
2. Termes de liaison unissant les arguments :
Et d'abord/De plus/Peu à peu/Dès lors.
3. Terme introduisant la conclusion : *Donc.*

Exercice 29

Et d'abord, il demeure le moyen de communication le plus usuel. Tout le monde ne sait pas danser, sculpter ou composer de la musique, mais tout le monde, sauf infirmité rarissime, sait parler. C'est donc par le langage que les hommes communiquent le plus souvent entre eux. La plus grande partie des échanges interpersonnels passe par sa médiation. D'autre part, par sa diversité, le langage permet de nuancer l'expression. En cela, il favorise l'extériorisation de la personnalité. Il permet ainsi de préciser un comportement, d'éclairer le sens d'un geste, de compléter la signification d'un regard ; il est l'outil le plus complet qui nous permet de révéler aux autres, si nous le désirons, notre personnalité. Enfin, il assure la transmission du savoir. Certes, celui-ci s'enseigne également par d'autres voies : films, photographies, gestuelle, etc., mais le langage vient souvent commenter, et par conséquent compléter ces différents supports. D'autre part, de l'école maternelle à l'université, la transmission du savoir s'effectue beaucoup plus par le chenal du langage que par le recours aux moyens précités. Ainsi le langage remplit-il dans nos vies de nombreuses fonctions aussi utiles les unes que les autres. Par lui, l'humanité s'est révélée unique et différente. Il est bien la suprême conquête de l'homme.

Exercice 30

Le paragraphe *A* est plus clair que le *B* pour deux raisons :
a) Les quatre arguments qui s'y trouvent sont associés les uns aux autres par des mots de liaison : *d'abord/d'une part, d'autre part/enfin*. Le lecteur suit donc aisément le cours du rai sonnement.
b) De nombreuses phrases du paragraphe comportent un mot de liaison qui manifeste la présence d'un rapport logique. Ex. : *« alors que »*, *« tandis que »* marquant *l'opposition*. Ces mots aident également le lecteur à suivre le mouvement de la pensée. *« A »* est un paragraphe *argumenté* ; *« B »* ne fait que juxtaposer des idées et des faits.

Exercice 31

1. a) Formulation d'une question. b) Réponse à la question posée (depuis : « Plusieurs choses... » : jusqu'à : « sans qu'il ait à faire des efforts... »). c) Explication de la réponse.

Exercice 32

Pourquoi la télévision connaît-elle un si large succès ? (La formulation de cette question peut évidemment varier, mais elle doit rester proche, par le sens, de la question énoncée par l'auteur.)

Exercice 33

A quoi servent les livres ? Notre espoir à tous, en prenant un livre, est de rencontrer un homme selon notre cœur, de vivre des tragédies et des joies que nous n'avons pas le courage de provoquer nous-mêmes, de rêver des rêves qui rendent la vie plus passionnante, peut-être aussi de découvrir une philosophie de l'existence qui nous rende plus capables d'affronter les problèmes et les épreuves qui nous assaillent. [...] Mais le gain essentiel qu'on peut tirer de la lecture est peut-être le désir de communiquer vraiment avec les autres hommes. Lire, comme il faut, c'est s'éveiller et vivre, acquérir un renouveau d'intérêt pour ses voisins, en particulier ceux qui diffèrent le plus de nous dans tous les domaines.

Henry Miller, *Lire ou ne pas lire.*

Exercice 34

1. Quoique bien articulé, ce texte est critiquable, <u>car il est inutilement morcelé</u>. L'idée, énoncée dans la 1re ligne, est d'abord coupée du développement qui en démontre la pertinence ; cela se concevrait dans un texte long, mais ne se justifie pas dans un texte de ce format. Un paragraphe serait plus approprié pour développer cette idée. Le morcellement se justifie encore moins entre la 2e et la 3e partie du texte. La 3e partie n'est, en effet, que la suite de la seconde ; l'une et l'autre développent le même argument. La conclusion, enfin, par la modestie de son format, demanderait à être rattachée au paragraphe ; d'autant que le terme d'articulation qui l'introduit : « ainsi » assurerait la soudure.

2. *Terme conclusif* : ainsi.

3. *Vocabulaire* :

noms	*verbes*
effort	. aller plus loin
dépassement de soi	. se dépasser
collaboration	. prendre des initiatives
apprentissage de la vie	agir (2 emplois)
	. vivre avec les autres
	. tenir compte des autres

La phrase articulée

Exercice 35

ENSEMBLE A :
Quoique nous souhaitions arriver à un accord, le dialogue est impossible avec vous, <u>puisque</u> vous ne voulez faire aucune concession <u>sous prétexte que</u> vous avez raison.

ENSEMBLE B :
Nous ne pouvons approuver l'attitude de Corinne <u>sous prétexte</u> qu'elle est notre amie ; <u>c'est qu</u>'elle a tellement mal agi !

ENSEMBLE C :
Pour que vous ayez plus de place dans ce living, il faudrait abattre la cheminée, <u>non qu'</u>elle soit laide mais <u>parce qu</u>'elle est beaucoup trop grande.

ENSEMBLE D :
Puisque vous insistez, j'accepte votre invitation mais à la condition que nous partagions les frais, <u>parce que</u> le prix de cette location est élevé.

Exercice 36

Emplois de « parce que » : énoncés 2-4-5.
Emplois de « puisque » : énoncés 1-3-6.

Exercice 37

Emplois de « parce que » : énoncés 1-4-5.
Emplois de « c'est que » : énoncés 2-3-6.

Exercice 38

Emplois de « parce que » : énoncés 1-4-5.
Emplois de « en effet » : énoncés 2-3-6.

Exercice 39

1. ... *sous l'effet des* tranquillisants. 2. ... *à force de* persévérance. 3. ... *grâce à* l'intervention du maire. 4. ... *faute de* crédits. 5. ... *sous prétexte d'*une extinction de voix. 6. ... *en raison d'*une grève.

De façon générale :

« Sous l'effet de »	→ présente une cause qui dure et qu'on évoque tandis qu'elle est encore en action.
« A force de »	→ présente une cause qui se répète ou s'est répétée.
« Faute de »	→ présente pour cause un élément qui fait, ou a fait, défaut. (Son synonyme est d'ailleurs : *« à défaut de »*.)
« Sous prétexte de »	→ présente une cause qu'on met en doute.
« Grâce à »	→ présente une cause qu'on considère comme bénéfique.
« En raison de »	→ présente souvent une cause portée à la connaissance du public (cette locution est beaucoup employée dans le langage administratif).

Exercice 40

ENSEMBLE A :
Catherine aime la musique <u>au point qu</u>'elle va au concert chaque dimanche, même si on n'interprète pas ses auteurs préférés.

ENSEMBLE B :
J'avais réglé le thermostat du four avant de partir <u>de sorte que</u> le gigot a cuit à point pendant que je faisais mes courses.

ENSEMBLE C :
Bien que l'opération soit dangereuse, un mécanicien perce un trou dans une tôle, <u>de sorte qu</u>'un médecin puisse faire une piqûre aux blessés avant qu'on ne parvienne à dégager les corps.

ENSEMBLE D :
Des pluies diluviennes s'abattent sur la région <u>au point que</u> le préfet déclenche le plan ORSEC avant même qu'on ne connaisse l'étendue des dégâts.

ENSEMBLE E :
Bien que l'E.D.F. ait amarré solidement les pylônes, la tempête a abattu trois poteaux, <u>si bien que</u> les fils téléphoniques ont été arrachés <u>et que</u> je n'ai pu t'appeler <u>pour que</u> tu viennes à mon secours.

Exercice 41

1. « Il est *donc* fort probable qu'il ne pourra pas vous livrer » (... la présence de « *or* » montre que l'auteur raisonne pour en arriver à formuler une conclusion *logique* ; d'où l'emploi de « *donc* »).
2. « C'est *pourquoi* il a fait une erreur » (simple explication).
3. ... « *Dès lors* la reprise du travail était en vue ». (Il s'agit là de la conséquence d'un *fait daté* → : « *Dans la soirée*, on apprenait, etc. »)
4. ... « et *par conséquent* allumer nos fusées de détresse ». (Ce terme introduit la conséquence d'une conséquence : *Fait* → la pluie avait mouillé nos affaires. *Conséquence* (1) → Nous n'avons pu enflammer nos allumettes → *Conséquence* (2) → et *par conséquent* allumer nos fusées.)
5. Ainsi → Ce terme s'impose ici, puisqu'il s'agit d'introduire la conclusion d'un paragraphe.

Exercice 42

1. J'ai été pris dans un embouteillage *si bien que* je suis arrivé en retard.
2. On avait enlevé quelques meubles *de sorte que* (ou *si bien que*) la pièce paraissait plus grande.
3. J'avais crié pendant toute la partie *au point que* j'étais complètement aphone. (On pourrait dire aussi : « J'avais *tant* crié pendant toute la partie *que* j'étais aphone », etc.)
4. Guy avait peur *au point qu'*il en était paralysé (ou : « Guy avait *si peur qu'*il en était paralysé »).

Exercice 43

Emplois de « mais » : énoncés 1-4-5.
Emplois de « or » : énoncés 2-3-6. (Dans ces énoncés, l'auteur se livre à un raisonnement ; *« or »* est alors la conjonction idoine pour s'insérer dans ce type de discours.)

Exercice 44

1. Depuis les temps les plus lointains, les hommes ont extrait des plantes des substances qui soulagent la douleur. Consommées à fortes doses, certaines procurent même des sensations de plaisir, *par exemple* l'opium tiré du pavot. Pourtant, ces substances ne sont pas sans danger. D'abord, les sensations de bien-être qu'elles procurent ne sont que temporaires. Ceux qui les consomment éprouvent rapidement le caractère éphémère de l'euphorie qu'ils ressentent. Ils désirent *donc* prendre de nouvelles doses, et deviennent dépendants à l'égard du produit. De plus, la surconsommation de ces substances est nocive. *En effet,* la drogue amoindrit les réflexes et la mémoire en même temps qu'elle altère les fonctions hépatiques. Enfin, elle désociabilise l'individu, en le cantonnant dans son rêve, lui enlevant l'envie de s'insérer dans la société. *Or,* à une époque où le chômage sévit, il est extrêmement dangereux de se désociabiliser... Dans ces conditions, etc.
2. Termes exprimant l'opposition : « pourtant », « or ».
3. Synonymes de « pourtant » : cependant, toutefois, néanmoins, mais.

Exercice 45

1. Luc rêve _d'_agrandir notre club.
2. Luc déraisonne en ce moment; il rêve _à_ des projets mirifiques.
3. La principale difficulté réside _dans_ le choix du terrain.
4. Le magasin regorge _de_ victuailles.
5. Valérie évolue. Elle s'ouvre _à_ des idées nouvelles.
6. Se taire équivaudrait _à_ être complice d'une lâcheté.
7. Je m'occupe _de_ régler ce problème tout de suite.
8. Les enfants sont sages; je les ai occupés _à_ faire un puzzle.
9. Jean proteste _de_ son innocence.
10. L'enquête a abouti _à_ un non-lieu.
11. On ne peut inclure cette remarque _dans_ le compte rendu.
12. On ne peut exclure cet homme _de_ notre association.
13. Il est difficile de concilier la poursuite des études _avec_ le sport professionnel.
14. Laurence a fait preuve _d'_une grande délicatesse _envers_ moi.
15. Il faut être bon _envers_ ces animaux.
16. Finalement, j'ai opté _pour_ un mini-magnétoscope.
17. Philippe a des torts _envers_ moi.
18. Tu ne peux pas comparer ce monument $\swarrow$ _à_ $\searrow$ _avec_ cet autre; ils n'ont pas le même usage.
   (Les deux prépositions sont acceptables.)
19. Je continue $\swarrow$ _d'_ $\searrow$ _à_ espérer que tu viendras.
   (L'une ou l'autre des prépositions convient.)
20. Les circonstances nous ont contraints $\swarrow$ _à_ $\searrow$ _d'_agir ainsi.
   (Les deux prépositions sont acceptables.)

Exercice 46

En briquettes roses et grès des Vosges, la façade était ravissante. Quant au dedans du magasin, il étincelait. Tout y brillait : les étagères chromées lançaient des lueurs d'argent ; la verrerie et les cristaux allumaient mille étoiles d'or.

Exercice 47

Combien de temps faut-il pour faire un bon tennisman ? Cela dépend de plusieurs facteurs : les aptitudes du joueur, son état de santé, le temps dont il dispose pour s'entraîner. Il faut aussi tenir compte du professeur ; son rôle n'est pas négligeable. De façon générale, on peut dire qu'il faut deux ans de pratique assidue pour bien jouer.

Exercice 48

La vulgarisation des magnétoscopes va décupler l'influence des média. En effet, tout message diffusé par la télévision sera désormais reproduit à des milliers d'exemplaires et réécouté. De ce fait, son influence ira croissant. Ne va-t-on pas ainsi vers une dictature des média ? C'est un vaste sujet de réflexion...

Exercice 49

Sans nouvelles de Françoise, je m'arme de patience. Je n'écris ni ne téléphone. J'attends... Iras-tu la voir en avril ?

Exercice 50

LE POINT-VIRGULE :
Réponse _b_ : Les deux propositions placées de part et d'autre du point-virgule procèdent de la même idée.
Exemple : « L'après-midi s'achevait. Les chasseurs rentraient, tenant leur fusil sous le bras ; le soleil baissait à l'horizon. » Les propositions A et B marquent toutes les deux que : « L'après-midi s'achevait. »

LES POINTS DE SUSPENSION
Réponse _a_ : Les points de suspension, qui donnent volontairement au texte un prolongement, peuvent faire penser au lecteur que ce qui vient d'être dit a une particulière densité. Par là même, la portée expressive de cette séquence se trouve renforcée :
Exemples : Exercice 48 : « C'est un vaste sujet de réflexion... »
Exercice 49 : « J'attends... »

LES DEUX POINTS
Réponse _b_ : Les deux points introduisent des paroles rapportées :
Pierre m'a dit : Va-t'en !
ou une proposition qui explicite ce qu'a exprimé la précédente :
Exemple : Exercice 46 : « Tout y brillait : les étagères chromées lançaient des lueurs d'argent ; la verrerie et les cristaux allumaient mille étoiles d'or. »

Imprimé en France par l'Imprimerie Hérissey - 27000 Évreux (Eure)
Dépôt légal : 18371 - Novembre 2006 - N° d'impression : 103291